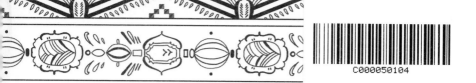

```
G Z E E I U B H I M M Z I M G U I N E A
N J D L I B Y A E Y W P B Y A U U T X K
A E I O P S S D S Y C W O I G L C K R D
C R P Z M T T Z A I R E A L R U T Q E Z
Y Y O A I I U D X B K U F R A A A A W E
A P P A L C N K P L O A G A U N N M I D
D A W R A B I I F X R L D A Q B D P H I
P U X Y U M S P C R W B I T N U A L Y Q
K Q N Z G S I S O A J W D V K D E G N F
I E S C M J A D F R A N C E I S A T S H
K S R E W O N S P A I N G P T A H I T I
I R U O Y A H Z E B H O A L O P A K I A
I N F R B X M B G F H F L H A I T I U K
I R A Q I U O D Y N N H U N G A R Y G X
C F A P M N N S P U G H A N A J G A Y P
U R N O A A A A T C A T B X U G I F A C
B S A K L M C M N M H Y T K T O N G A H
A D T E A Q O L R U Z I T A L Y D S U I
Y H R M L V M U M O O K N J U P I J N L
P I T A D S B B R A Z I L A T O A V N E
```

WORLD WIDE

- ANDORRA
- ARUBA
- BOLIVIA
- BRAZIL
- BURMA
- CHILE
- CHINA
- CUBA
- CYPRUS
- DOMINICA
- EGYPT
- FRANCE
- GHANA
- GUAM
- GUINEA
- HAITI
- HUNGARY
- INDIA
- IRAN
- IRAQ
- IRELAND
- ITALY
- KENYA
- KUWAIT
- LIBYA
- MALTA
- MONACO
- NEPAL
- POLAND
- SPAIN
- SURINAM
- TAHITI
- TONGA
- TUNISIA
- UGANDA
- ZAIRE

HENNA

Word Search
& Doodle

```
C E N T X A V H C E N T A V O O X F A T
A T R Q O T X Z S T E L G N D X K S L D
V J R B A O J X B E A N A U L C X B A O
P V L M L I R A P I I U C W E X R T G L
T A V A C X N U R L Y S C P R A E N E L
B E S R K B R S L C E C O V V S I P V A
L G L K E X L I T O G K J I E H U S H R
W I D K D T H G X R W D L P T K B A H T
Y P V A I S P R G D Q O K R I J M A E S
L O C J M Q X C W O B H A X M A P O U X
F U E S E K G N D B P F J H A A S I C P
L N N C G A R U J A G A K S R S K T C W
O D T R K U W O I F G B T I K Y A N E G
R N I O P A I K N L I N O Y X V A Y F R
I Y M W N G H N E A D U Q U A R T E R P
N Q E N A M B B E W X E X C F Y R D L E
W S R K I S U Q G A J O R D E N J I D N
B P L V G L H S I X P E N C E H I N F N
F L E X D R A C H M A E W B P O L A X Y
G G O M P D Q T Q Z Y X R O I M U R T U
```

A FOREIGN EXCHANGE

- BAHT
- BALBOA
- BELGA
- BOLIVAR
- CENT
- CENTAVO

- CENTIME
- CORDOBA
- CROWN
- DIME
- DINAR
- DOLLAR

- DRACHMA
- ESCUDO
- FARTHING
- FLORIN
- FRANC
- GUILDER

- GUINEA
- KOPECK
- KRONA
- LEV
- LIRA
- MARK

- MARKKA
- PENNY
- PESETA
- PIASTER
- POUND
- QUARTER

- RIAL
- RUPEE
- SHILLING
- SIXPENCE
- YEN
- YUAN

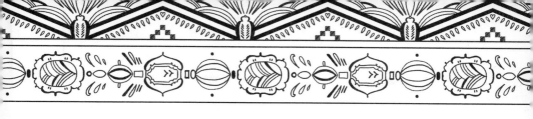

```
A G H M A R I G O L D C G B L U P I N A
P L P I N K S A D Q G A D G I M U Q E C
U E V E R B E N A R V N D H B I O P W H
V L E O M K A N Q O A N I T S X T S E R
L A R K S P U R S S S A S A V E S Y S Y
A D B L D H Y R E E T B D S E I M F P S
V K O I A O H J D S E Z A W R M Y A E A
E L W L I P Y Z U N R I S I G S F N O N
N E X Y S A L P M Y L G F I V Y S E N T
D P X O Y N I J H H T E L H L G K M Y H
E O X F L S L V A L L Z C A Y V Z O O E
R P Z T T Y Y D L L O R K L D A Z N Y M
D P I H E D A C I S Z X R Y M I R E E U
Z Y N E C A R N A T I O N T X K O R J M
V W N V F H W C O L E U S H I C V L O V
X V I A L Y S S U M H J N R S I I M A W
V M A L P V P X O P O B T U N Y O E X U
A D B L P R I M R O S E W M M D L S J Z
A T M E S B Y N B A L S A M O O E I D L
X T A Y Y N O X C O S M O S R M T R S P
```

FLOWERING

- ALYSSUM
- ANEMONE
- ASTER
- BALSAM
- CANNA
- CARNATION
- CHRYSANTHE-
- MUM
- COLEUS
- COSMOS
- DAHLIAS
- DAISY
- GLADIOLA
- IRIS
- IVY
- LARKSPUR
- LAVENDER
- LILY
- LILY OF THE
  VALLEY
- LUPIN
- LYTHRUM
- MARIGOLD
- MOSS
- PANSY
- PEONY
- PHLOX
- PINKS
- POPPY
- PRIMROSE
- SEDUM
- SWEET PEA
- ROSES
- VERBENA
- VIOLET
- YARROW
- ZINNIA

```
K V W V C E A S E L T O S S D S Z E R A
L Z E U E X C L U D E K Z O H K N A P K
K K S T G Q L Q P W C L M S X U B F G E
A Y B A L K F E O O E S N U B S T D R Y
Q E C L D R V T L R L H F B I R I O Y V
I Y H I N D E R P H U P E D D O N A Q R
L W X W C V X U H C D S X G V G T V I E
L K C O N D E M N M E E C A I U A K P F
I E L I S Z K Y G Z D K S A U F B D R U
C G X Q P D O D G E I V E K Q O O E O S
I B Y D U N B A N I S H V E Y R O N H E
T L W B R P E S C H E W E S L B A O I R
E O F A N K V R T V E W R U C I S U B B
V C C R V M C Q N R A L R S S D A N I G
I K A R B V Q U U L A R E P C T T C T F
C Y V I S C H S T G O D B E E D F E Y I
T O E C B S N U E Z I W E N N C A N Y P
E W R A K E O L G M D G L D S S E F O C
J X T D C W L D D B O L T U O D V T F I
Y J O E H I X C U R S E P H R F S M J G
```

CENSORED

- AVERT
- AVOID
- BALK
- BANISH
- BARRICADE
- BOLT
- BLOCK
- CEASE
- CENSOR
- CENSURE
- CONDEMN
- CURSE
- DENOUNCE
- DENY
- DISBAR
- DODGE
- ELUDE
- ESCHEW
- EVICT
- EXCLUDE
- FORBID
- HINDER
- IGNORE
- ILLEGAL
- ILLICIT
- LOCKS
- OUTLAW
- PROHIBIT
- REBEL
- REFUSE
- SEVER
- SHUN
- SHUT
- SNUB
- SPURN
- STOP
- SUSPEND
- TABOO
- VETO

```
N U J M C H E E K Y H O P H S L A D A J
D I S R E S P E C T F U L E E W Q E N Q
D L D Y H I Y F W U T B I M R D U A X E
E M F S U T Y L D C R U O B E T E F D A
V J O L H M Z I P A L T H L X H A U F U
D A U G N B E P G V G W A E D T R A V G
E Z U L E F V P V A T G I T N W U A T B
B A Z W R F Z A Q L H D B E S U R L Y X
H O A Y V T A N T I Z E R T K J O D G I
D V P W Y R J T W E L E A L Y L R S H N
E L X L P V S Z P R V T Z S P A G A N S
R U G C D S V J G E R Y E D W N J U I O
A V T Y A G B C R S Y O N R I H T C N L
X N F R M A X R H H A L O H C J R Y U E
I V B D Q V I Y J T F F S K W X J K F N
I M P E R T I N E N T U D Y C Q E P Q T
B W X B H A K Z S U P E R C I L I O U S
V S U Y J P A B U S I V E X S J C D G A
N Q G Q O I H S X Y S C O R N F U L U U
W W B W H B S A W Q J L O C V R F B R S
```

HOW RUDE

- ABUSIVE
- BOLD
- BRASS
- BRAZEN
- CAVALIER
- CHEEKY
- CURT
- DISRESPECTFUL
- FLIPPANT
- FORWARD
- HAUGHTY
- IMPERTINENT
- INSOLENT
- IRREVERENT
- NERVY
- PERT
- PUSHING
- RUDE
- SAUCY
- SCORNFUL
- SUPERCILIOUS
- SURLY

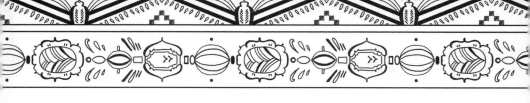

```
B R I E F T G F P B R M C G T E F X T U
P I Y V Q V A M L R A J J H T A M S Q A
B N C H A M B E R S O R T U T V E E Y C
A O L E G Y T G Y M R O T M K R M B S Q
I Q K W J R F R W V Q A F G R E I Y G U
L U Q P U U U J L Z T F I A A K N A G I
J E U O S J A H J S D O M I V W F F L T
C S C C R A A T U I F R E V I E W S P T
W T I E J G T R D I P E L A W Y E R U A
D I P T D A C X G T D M P L E A D E W L
O O P N S M S X E U P A V Y J B E N C H
C N D E B C I V I L M N S A K C H E L W
K A Y C I R C U I T E E A Y H X K S L K
E T O P I N I O N C O O N H A R Q A H N
T T J F D E D M H H N F T T E A E I Y E
C O P V E N U E C N M A F L A P S M S Z
A R K R K J U R Y N O G C I P L D A O Z
M N T C L A W S Q W O Y E A C C C Y N A
A E D C A L E N D A R C O Q D E G C C G
N Y U R B B W A R R A N T D F P R C R I
```

ON A TRIAL BASIS

- ACQUITTAL
- APPEAL
- ARGUMENT
- ARREST
- ATTORNEY
- BAIL
- BAR
- BENCH
- BRIEF
- CALENDAR
- CASE
- CHAMBERS
- CIRCUIT
- CIVIL
- CLERK
- COURT
- DOCKET
- FOREMAN
- JUDGE
- JURY
- LAWS
- LAWYER
- OATH
- OFFICER
- OPINION
- PERJURY
- PLEAD
- PROOF
- QUESTION
- REVIEW
- STATUTE
- TRIAL
- VENUE
- WARRANT

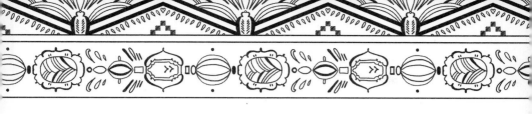

```
P  C  O  M  P  E  T  E  C  I  T  T  D  O  S  W  A  T  E  R
S  R  P  W  P  N  A  R  T  A  D  B  U  T  T  E  R  F  L  Y
J  Q  O  J  E  V  E  N  T  B  T  Q  P  O  W  B  X  J  S  X
L  V  B  N  F  R  E  E  S  T  Y  L  E  G  F  I  Y  P  J  S
T  H  C  A  E  J  D  R  L  F  R  O  G  W  E  T  S  J  Q  I
E  M  Z  S  C  V  V  S  B  E  T  C  O  L  E  Q  C  T  N  D
O  L  G  L  T  K  M  M  X  R  G  B  R  F  S  C  R  C  S  E
V  Y  O  E  E  R  S  C  A  W  B  S  A  A  H  R  F  R  L  S
R  O  H  N  A  S  O  T  V  Z  I  S  X  N  W  E  X  J  T  J
P  G  V  D  C  I  S  K  R  B  R  E  A  T  H  L  M  F  E  L
L  K  J  O  I  H  L  V  E  O  N  C  H  F  U  A  O  S  O  R
S  P  M  D  J  V  R  V  H  F  K  T  Q  Y  S  Y  C  R  E  X
C  A  U  I  F  G  I  H  L  K  S  E  V  N  U  H  T  T  D  D
I  D  F  V  C  Q  I  N  P  F  K  V  R  C  Y  N  T  N  O  O
S  D  I  E  F  K  P  M  G  K  L  U  D  G  O  U  J  G  L  E
S  L  L  A  N  E  U  D  M  K  T  O  K  C  L  X  V  D  P  T
O  E  P  K  W  J  U  N  R  A  C  E  A  F  M  C  X  I  H  K
R  E  W  V  F  L  O  P  T  F  B  E  V  T  M  H  B  W  I  I
S  M  E  E  T  S  N  G  L  A  P  S  A  A  Q  L  X  L  N  C
O  T  E  C  H  N  I  Q  U  E  Q  A  Z  T  R  E  A  D  N  K
```

IN THE SWIM

- ARMS
- BACKSTROKE
- BREATH
- BUTTERFLY
- COMPETE
- CONTROL
- CRAWL
- DIVE
- DIVING
- DOLPHIN
- EVENT
- FLOAT
- FLOP
- FLUTTER
- FREESTYLE
- FROG
- JUMP
- KICK
- LANE
- LAPS
- LEGS
- MEETS
- PADDLE
- POOL
- PRONE
- RACE
- RELAY
- SAFETY
- SCISSORS
- SIDE
- START
- STROKE
- TECHNIQUE
- TREAD
- TURNS
- TWISTS
- WATER

```
Z O V V C C M P C L A V I C L E P S S Y
O L M D R U M X F C O S T A L O A O P S
Z U T E I U V V I R I B C A G E R C H T
D Y M N I F M E B B R A D I U S I C E I
T O A L Y A N Z U W C Z K X U M E I N R
V R I A R I Z A L K F Y Y R L C T P O R
C P N U P Z L C A J C O C C Y X A I I U
S L M S X L F W V K I X E H Y D L T D P
U E D A E D N X S X A X I G W H X A H K
F M H T M W A A K B O N E B W G M L E D
T M A S Q L L B A U O V S T I B I A C X
E P E C C T A V X D Y E S K D K U L H C
M F P T A A V U I K H R K R E K R T G X
P R F E A H P K S B V T U W D L Q S L F
O O N N L C U U F I R E L E M B E Y X J
R N B S E V A M L M A B L V W P S T O C
A T Q U N R I R E A P R J U A G U A A T
L A I G C A K S P R O A C T J M L L E L
P L X F N A S A L A U E S L T X A W N U
K M E T A T A R S A L S F K T A Q O A J
```

BONE IDLE

- ATLAS
- AXIS
- BONE
- CLAVICLE
- COCCYX
- COSTAL
- CRANIUM
- FEMUR
- FIBULA
- FRONTAL
- HUMERUS
- ILIUM
- METACARPAL
- METATARSAL
- NASAL
- OCCIPITAL
- PARIETAL
- PATELLA
- PELVIS
- RADIUS
- RIBCAGE
- SCAPULA
- SKELETAL
- SKULL
- SPHENOID
- SPINE
- STAPES
- STIRRUP
- TEMPORAL
- TIBIA
- ULNA
- VERTEBRAE
- VOMER

```
W Z O C X C W H B S L E Q R S L I D E M
W V L E A P A N Y E N L Z D X M X R X U
A D R V F Z R M V E O T O B R Q J T I N
L J Z A F N Z A B S N R C P Q Z J T H W
K U L N P Q R D N L H U U B E B U W S T
S F M A T T V A A T E N B N T T M A T V
K Z V S V P D J F N T X E N O Z P P O L
S H R E I L A I E B C L V Y V V T G M V
O Y S R T O D D L E D E E E C B K W P Y
Y K T X N W Q V N D E V C E S K A T E Z
W M R D Y C I C A C U A E V A Z J Z Q O
B R I Y X L Q W N X R I N L F E Z G S Z
K R D W X O V U U F X O J T P T I D O Z
R Q E R Q G O N P H N G W T L G L I D E
V Y B Z F B U Z E Q O M V A R N I Q T G
E C Z U L A C I D J L U W Z C A L M K Y
J F X K L F D E A F T Q B G Y R M A E W
C E Q U O B A L L E T G Z Z B Y C P M L
N L H U S I E Y L J E F A F M Z X M D T
P I K D O J D Q I G C T T N O M V T L H
```

STEP LIVELY

- AMBLE
- BALLET
- BOUNCE
- CLOG
- DANCE
- GLIDE
- HULA
- JOG
- JUMP
- LEAP
- LOPE
- PEDAL
- RACE
- RUN
- SKATE
- SLIDE
- STOMP
- STRIDE
- TODDLE
- TRAMP
- TRAVEL
- WADDLE
- WALK
- WALTZ

```
L O I K U O K A D A R L A N D A U R J B
L O G D O R V A L F I U M I C I N O U Y
T G V Z Y X H O D U S S E L D O R F L T
B J H U P V F O T H T C B R O Q C R O F
T W G R D Y S R N S E A M L L I O J J R
X C L I G J A A C G P I A T L A N T A A
M U N C H E N U N J K R I V B W M E S N
L F B H R J L Z J F B O D V M B P E H K
W Z B Z K I J O K K R I N Y F A U L E F
H B S V E N A P S S M A B G H R B I R U
A H Q C D E L P S A T K N Q M A S N E R
B E N R H M D Z I I N D A C V J O A M T
A A A K U W T M E B N G E S I A U T E M
N T T O A G E H A W A G E G T S B E T A
G H I S D C C C T F G F A L A R C V I I
K R O A A V H T H O M T W P E U U O E N
O O N K M P K W Y A J E B K O S L P V Y
K W A A B R F K C N T G E Q I R G L O J
N N L O I N O K P T O R O N T O E H E W
J E J Y P T F H T G S B R U X E L L E S
```

AIR PORTED

- ARLANDA
- ATLANTA
- BANGKOK
- BARAJAS
- BRUXELLES
- CAIRO
- DE GAULLE
- DORVAL
- DUSSELDORF
- FIUMICINO
- FRANKFURT MAIN
- HEATHROW
- HONG KONG
- KASTRUP
- LINATE
- LOS ANGELES
- MIAMI
- MUNCHEN
- NATIONAL
- ORLY
- OSAKA
- SAN FRANCISCO
- SCHWECHAT
- SHEREMETIEVO
- SINGAPORE
- TOKYO
- TORONTO
- ZURICH

```
E V F S M O N G R E L T Z W W K U W O P
P W I M P O C O L L I E Q C G D V Y G I
L Y N A U A J U N U G R E A T D A N E N
E G I R Z B N R R X U D X R Z I S T I S
A O C K Q S A I J M H Y J E C A I R N C
S V K S O E P P E K I N G E S E Z K O H
H G Y I L I P D R L M E X I C A N P A E
P E M J I K J A R D C Z A F G H A N N R
S S S B F Z B A S C O T T I E O V O C T
S P I T Z E U Y T A H B I T E B P K E A
Q E P D N A L S A T I A N Y P O X P S I
R A O D B L O O D H O U N D S U J T T L
G L E Y G L N B G A R V Y K W G G M R B
L H R D Q H H D F U W B V N B J X U Y E
S Q J T X H O U N D I U G N A M E Z U H
Y P O M E R A N I A N D V B E A G L E A
T S H O R T H A I R E D E J R A V C R V
Z A L A S K A N T R I C K S S Z H W F E
B R E E D D Y A Q A C H I H U A H U A K
O L I T T E R I R I S H S E T T E R U B
```

DOG'S LIFE

- AFGHAN
- ALASKAN
- ALSATIAN
- ANCESTRY
- BARK
- BEAGLE
- BEHAVE
- BITE
- BLOOD-HOUNDS
- BREED
- CAIRN
- CARE
- CHIHUAHUA
- COLLIE
- CUR
- FINICKY
- GREAT DANE
- GUIDE
- HOUND
- IRISH SETTER
- LEARN
- LEASH
- LITTER
- MARKS
- MEXICAN
- MONGREL
- NAME
- PEKINGESE
- PINSCHER
- POMERANIAN
- PUG
- SCOTTIE
- SHED
- SHORT-HAIRED
- SPANIEL
- SPITZ
- TAIL
- TRICKS

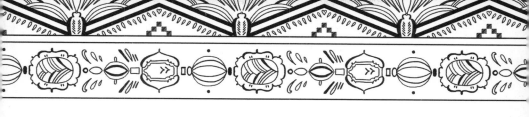

```
Q S N C S O T I T D B M U Z U R A L Y U
A A Y R E X I T Y Q N A A T O N P R U T
T O Q H V X B T M Z G I E R H S A U V O
W N J O E X E Q M Y L S M L N A P X G M
W E D N R S R F V T T N E J H E M R M Z
E G T E N E M A D I G E U D N Q E E E I
M R W T F I V Q V I P H S U N N G K S E
Q U E M F N L O I R E K E G A V O N O S
V B E T O E W V I S T U L A Z A Z N L Q
O I D E V C X A Y N W G C D E B Q R I D
L C I A M I V G R H I N E L T B U L F E
G O U I A A I U J E O I H A Y M C R F R
A N C T J L I D N N B X N A I D H A E W
E J R A W S M N N S E A N Y Y U E O Y E
S D K G J B O A S D M L A K R E L M N N
O N S U W R H Q M E R S E Y V P U R Y T
V E O S A S V H N M R N A A D A N U B E
E S M G H U M B E R R W I N E B R O D V
C T M W F M X X P O J P Y T R E N T A U
L R E N I I E Y T C V W X D V I N A Q E
```

RIVER TRIP

- ADIGE
- AISNE
- ALMA
- AVON
- CLYDE
- DANUBE
- DERWENT
- DNESTR
- DVINA
- EBRO
- GARONNE
- HUMBER
- LIFFEY
- LOIRE
- MAIN
- MARNE
- MERSEY
- MEUSE
- NEMAN
- PIAVE
- PRUT
- RHINE
- RHONE
- RUBICON
- RUHR
- SAONE
- SEINE
- SEVERN
- SHANNON
- SOMME
- SPREE
- TAGUS
- THAMES
- TIBER
- TORNE
- TRENT
- TWEED
- URAL
- VISTULA
- VOLGA

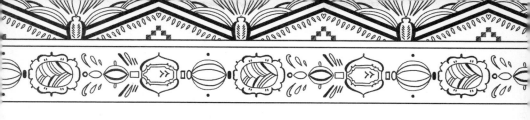

```
F S M A N D Y E R I L I R D Q S T Y D Y
A B H N J M M M C I O A D B D E A H M N
O Y L U H P R M Y S I N G N N S X Y Z Y
H D O B L G G A N L G H E I U H I U Q H
H T P E V X W R C N G I G J E I Q H M Q
L P H T H Y X O I E R A H W V P K J I C
K C E H M Q Y M P F M J Y S D S B A R A
P A L G J Q E L G I L U C I L L E N A N
G H J P O T E M A S X C L M K J N E C D
D B H R E G F M X B A H P Z E S O I L I
A R O L N G M G Y E H M U R X P X D E D
N V N A E M K R I L M I I R T Y V E S A
I H E W V M T S X C O F S E T P L A D Y
E A S Q B G O X N N E V K I D O I T C C
L N T O Y J H I H I H I E G G A J A Y N
R G Y Y H O T L E G S S L H M W Y T J R
F I J C O O H V E X W L U T K O A Y Z U
B E B E I Y Z I J I G X Z E D Y I B M U
B W M H T Z O B O B A B E E U F M R C R
H B Q G V R I E Q Q N Z X N L Z W U L R
```

SEVENTIES SINGLES

- ABC
- ANGEL
- ANGIE
- BABE
- BEN
- BETH
- CANDIDA
- DANIEL
- DO IT
- DO YA
- EGO
- EIGHTEEN
- FIRE
- FRIENDS
- HELP ME
- HI, HI, HI
- HONESTY
- HOT LEGS
- HURT
- IMAGINE
- JANE
- JET
- JOSIE
- LADY
- LET EM IN
- LIAR
- LUCILLE
- MANDY
- MIRACLES
- MY LOVE
- MY WAY
- PEG
- SAM
- SHIPS
- SING
- TAXI
- YO-YO

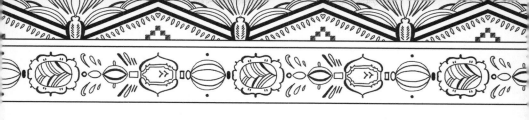

```
W H F O R G I V E N E S S L R W Q C J O
Y F K Z Z K W Y W N W O V S E M E D A L
J T F G N D O X M X Q D T E C Y H O Q P
R Z D I P E N P H O M E R H O P U E K T
O A R S M I L E X K N O O A G R G T S C
Y D M H E P F W B N C E N N O F E G L
T R X A L W D R E S B B Y D I M T S R R
F C E F G O A P E Y V E T S T O T L I G
A T Y W O W X Z H E T S J K I T E E D K
G I H F A Q Q P V S D Y P N O I W C E I
R T J A J R O U A A L O L E N O T T C S
A L V Q N R D T I V H X M W E N X U S S
D E E P T K B P G Z A E M W Q C K R S N
E K R C X T S L O I C W S T D N H E G E
P X D Q Q I I B O I F J A R K S F S R P
B P I I R F K M V O U T A R N V E A G J
O I C H D L B D E A D C R I D Q C O Y H
X A T Q A H A B A T H T V P R E S E N T
Z I W T P Q O U I N F O R M A T I O N L
B Q P S E R M O N I R A I S E Z L O V E
```

GIVE A LITTLE...

- ADVICE
- AWARD
- BATH
- BLOOD
- CARD
- CARE
- DRINK
- FOOD
- FORGIVENESS
- FREEDOM
- GIFT
- GRADE
- HAND
- HOME
- HUG
- INFORMA-
  TION
- KISS
- LECTURE
- LOVE
- MEDAL
- MONEY
- PRESENT
- PROMOTION
- QUIZ
- RAISE
- RECOGNITION
- REWARD
- RIDE
- SCORE
- SERMON
- SMILE
- SPEECH
- TALK
- TASTE
- TEST
- THANKS
- TIME
- TITLE
- TROPHY
- VERDICT

```
C I N Z L V P N Z E D E B G N I D D A P
O H I Q O L A B A L M V S S O M A D M F
E R H S U M A L X B F I F H Q Z K L E C
L Q U I L T V M T D R U A P L U P I C O
G O K I T T E N A O R I P O L D V N T T
K U V P K Y L C Q V R C C U R L S T T B
A U N E G H V J L E H S R E H T A E F E
T P O J U N E G L N B P I L L O W N B L
Q Y I E R P T L S W R E D I E Y N N U B
F Y H W M O N G L O P R S H X N J P P B
L A S Z O W T D G D X O I S P O Q U M U
O R U F X D E E M J G S L R R Z K F A B
S O C W Y E Y S K P I E K A E R N F W A
S G E E A R P P L N P S S M T Q I C S I
Z N I R F C P O D P A O T N A L W D F R
Y A B U A L U N J K K L P O W U O K V L
J K Z R U T P G A X Y F B T Y S O J U P
S Z P M X P A E O S Q C L T T H L H K U
R E E I C O M F O R T E R O U S D U S F
T G F B N A P S O L L P J C K U I T O X
```

SOFT TOUCH

- AIR
- ANGORA
- BALM
- BED
- BLANKET
- BUBBLE
- BUNNY
- CARPET
- COM-FORTER
- COTTON
- CURLS
- CUSHION
- DOVE
- DOWN
- EIDER
- FEATHERS
- FLOSS
- FUR
- FUZZ
- HAIR
- KITTEN
- LINT
- LLAMA
- LOVE
- LUSH
- MARSH
- MOSS
- MUSH
- NAP
- PADDING
- PILLOW
- PLUME
- POWDER
- PUFF
- PULP
- PUPPY
- QUILT
- ROSES
- RUG
- SILKS
- SPONGE
- SUDS
- SWAMP
- VELVET
- WATER
- WOOL

```
W F A T E Z L O T T E R Y F C H A N C E
M R A B B I T S F O O T G L F E G S F R
W X B E T S P C H A R M A U D R T J Q X
E H G Z O E G O B D L L M K A M I F V V
O M E N W X L X T I K U B E X W A D Y D
P H E D V A L V B I N Y L S M F L G A P
C E F Q R X G J E P O G E L P O T X I Y
A A A W S E J E T S C N O W P A O T Z C
U D I Q I T A A R W W A N T T U L N X A
H S R R P S A M C X Z T H I R T E E N R
O S I O A C H K S K L E F B B O R N E D
R H E K K V F E E H P M A S C O T N B S
S A S T O U E T I O L O P C F E B A S V
E M M J I N X N Y P Z J T R N B L R E N
S R I G M O V E C E A O E U M E A L D F
H O R T A L I S M A N D T S T T F A I P
O C R G M R O B F X D R M N S F V Z C A
E K O S W O Z N V A O Z A X A W L L E L
D X R A Z O C C L F Z Q P R F J P L V M
E O D D S K N B B C L O V E R Z W B S S
```

THAT'S LUCKY

- ANTE
- BETS
- BINGO
- CARDS
- CHANCE
- CHARM
- CLOVER
- DICE
- DREAMS
- ELVES
- FAIRIES
- FATE
- FLUKES
- FORTUNE
- FRIDAY
- GAMBLE
- HEADS
- HOPE
- HORSESHOE
- JACKPOT
- JINX
- LADDER
- LOTTERY
- MAGIC
- MASCOT
- MIRROR
- MOON
- ODDS
- OMEN
- PALMS
- POTION
- RABBIT'S
- FOOT
- RAFFLE
- RAVEN
- ROOK
- SHAMROCK
- STAKE
- STARS
- TALISMAN
- THIRTEEN
- WAGER
- WANT
- WISH

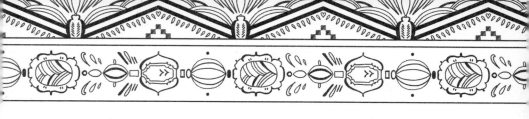

```
I  Q  I  G  W  E  I  M  A  G  E  G  D  T  G  M  O  D  E  L
C  Z  T  Q  M  C  S  W  L  V  D  I  S  P  L  A  Y  M  S  S
S  A  P  A  J  K  A  K  Y  P  R  I  C  E  L  E  S  S  E  D
U  R  A  C  R  M  Y  N  E  R  E  A  L  I  S  T  I  C  F  P
R  T  P  R  A  F  R  O  V  T  S  M  O  C  K  F  O  U  C  S
F  I  E  Y  R  S  A  E  G  A  C  M  P  O  R  T  R  A  Y  U
A  S  R  L  E  H  J  L  N  B  S  H  E  Z  Y  P  W  Y  K  B
C  T  P  I  G  M  E  N  T  D  R  U  X  K  C  A  M  U  M  J
E  K  Z  C  S  T  A  I  N  U  E  Q  H  X  R  L  M  X  W  E
N  D  K  T  R  F  V  J  O  P  G  R  I  D  C  E  U  W  N  C
L  H  P  A  S  T  E  L  P  K  I  G  B  N  U  T  R  A  Y  T
E  S  X  N  T  K  O  D  I  Y  S  C  I  B  V  T  A  P  Y  S
X  T  E  J  S  C  I  C  E  G  K  O  T  X  U  E  L  U  L  A
P  I  F  A  Q  I  L  Y  Y  P  H  V  E  U  M  L  Q  I  L  L
R  N  F  R  S  K  O  S  E  D  I  T  Z  A  R  Q  O  E  I  Y
E  T  V  A  E  C  M  D  L  Y  V  C  R  E  H  E  S  A  L  X
S  O  W  V  I  S  A  Q  V  Y  Z  F  T  H  W  A  T  P  V  X
S  C  L  O  T  H  C  P  V  I  V  I  D  C  E  E  P  B  I  J
T  G  T  I  S  Z  W  O  E  H  Q  S  H  D  D  A  D  G  E  Y
H  O  W  V  K  S  A  B  S  T  R  A  C  T  E  B  O  C  W  A
```

ARTISTIC

- ABSTRACT
- ACRYLIC
- APPLY
- ARTIST
- CANVAS
- CLOTH
- COLOUR
- DEPICT
- DETAIL
- DISPLAY
- DRAW
- EASEL
- EXHIBIT
- EXPRESS
- FRAME
- FRESCO
- IMAGE
- LIGHT
- MODEL
- MURAL
- OILS
- PALETTE
- PAPER
- PASTEL
- PICTURE
- PIGMENT
- PORTRAY
- PRICELESS
- RARE
- REALISTIC
- RENDER
- SEASCAPE
- SHADE
- SKETCH
- SMOCK
- STAIN
- SUBJECT
- SURFACE
- TINT
- VIEW
- VIVID

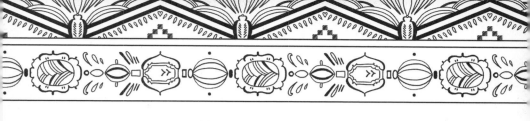

```
V I C K I F R E D E R I C K R T L M T L
P I Y I L Z A U D R E Y L A N D E R S A
S C A M E R O N E N G L I S H P P H Q L
R V S T U L Y E W A U D I T I O N F P E
A B I U R V T E C A S S I E O F U W D T
C H D C R A S A T T H E B A L L E T S M
O I J J D P D T E A L Y S O N R E E D E
N H P B J I R L E G Y L I H D D A H S D
E O R G F H B I O N J E W M S G X K E A
Z P F R O O I J S R N Y S W K T O Z V N
W E I E I P J C Z E L D N H D O A I J C
S F S G C E A N Z O S E U O L M J G T E
S U X G A I N C A B P U P A T H M K E F
H L M B N G E I C H T H R E E H P K G O
B S U U D E T O H O E X X P X P I L M R
T F S R O T J Y C Z Q A C R R P R N S Y
X E I K T I O C E D A N C E M I J T G O
X Q C E H T N C H O R U S U L F S Z J U
C W A Y A O E I S U H V T X V V P E K N
H H L S T K S N I C O L E F O S S E M F
```

A CHORUS LINE

- ALYSON REED
- AT THE BALLET
- AUDITION
- AUDREYLANDERS
- CAMERON ENGLISH
- CASSIE
- CHORUS
- DANCE
- GREGG BURKE
- HOPEFULS
- I CAN DO THAT
- I HOPE I GET IT
- JANET JONES
- LET ME DANCE FOR
- YOU
- LOOKS
- MUSICAL
- NICOLE FOSSE
- NOTHING
- ONE
- STAGE
- SURPRISE, SURPRISE
- TEN
- THREE
- VICKI FREDERICK
- ZACH

```
Y  Q  U  R  A  K  S  I  Q  U  O  T  E  O  D  R  X  F  O  C
N  R  W  U  E  A  V  O  E  P  X  I  W  N  J  D  R  A  W  L
F  B  F  F  B  P  S  N  E  E  R  O  A  S  N  I  C  K  E  R
S  T  A  T  E  G  L  D  R  A  L  M  M  G  R  O  W  L  E  B
B  O  O  M  T  N  R  Y  Q  L  E  I  M  U  Q  U  E  R  Y  K
Q  G  K  W  Z  M  E  K  E  D  S  R  N  U  T  J  E  E  R  C
I  U  I  E  S  E  M  B  S  W  O  H  U  Q  M  T  Q  F  W  H
D  V  I  G  G  J  A  B  Y  A  H  P  O  P  U  B  E  F  H  O
Y  B  Q  P  G  K  R  A  E  J  R  X  I  U  Q  I  L  R  I  R
U  I  A  R  M  L  K  U  L  V  W  G  L  N  T  E  R  E  S  T
E  B  C  R  O  D  E  I  L  T  A  C  U  K  E  F  M  E  P  L
X  G  O  G  K  A  M  P  H  T  E  N  S  E  V  X  U  X  E  E
C  S  M  T  F  U  R  J  Z  S  T  A  M  M  E  R  R  P  R  C
L  U  P  W  U  Y  T  F  C  G  U  F  F  A  W  U  M  L  J  L
A  G  L  O  J  G  L  A  U  G  H  O  Z  I  P  U  U  A  F  B
I  G  A  J  B  R  N  U  O  M  O  A  N  A  N  N  R  I  J  X
M  E  I  G  L  O  M  U  S  E  O  S  Q  L  O  S  V  N  N  G
I  S  N  T  U  A  H  O  S  N  A  P  L  V  C  X  I  H  R  A
H  T  V  Q  R  N  W  R  E  P  E  A  T  P  W  X  Y  S  K  S
S  T  U  T  T  E  R  S  M  K  C  F  W  G  R  U  N  T  T  P
```

YOU DON'T SAY!

- ARGUE
- BARK
- BELLOW
- BLURT
- BOOM
- CALL
- CHORTLE
- COMPLAIN
- DEMAND
- DRAWL
- EXCLAIM
- EXPLAIN
- GASP
- GIGGLE
- GROAN
- GROWL
- GRUNT
- GUFFAW
- INQUIRE
- INSIST
- JEER
- LAUGH
- MOAN
- MUMBLE
- MURMUR
- MUSE
- MUTTER
- OPINE
- QUERY
- QUIP
- QUOTE
- REMARK
- REPEAT
- REPLY
- ROAR
- SHOUT
- SNAP
- SNEER
- SNICKER
- STAMMER
- STATE
- STUTTER
- SUGGEST
- WHISPER
- YELL

```
H G Y S P I R I T U A L G P R O U N D H
M V A O R S H A N T Y A R I A G W R E K
A N T I P H O N E M F W J P E Q E D E O
I Y M C H O R A L E R H D H U M U R T L
O P E R A C H A N S O N N S E T U R O R
D Z D Z A S A R E G G O E H E T E D J Q
D I R G E T T N N V V D T E R C N P F L
U V T T A I U O K B U M D E N O S V X G
N P K T M T S H T L J U V O R M M B S B
K J N N U K C F E E L O C K K L Y R I C
Q A M E L R G R J T O C C A T A X P R R
C Y U O A C P Y S C H O R U S S C V E H
H M F M U A H O S H P C U F J U O O Q A
M H V N E M P A A W Y J R A G I R L U P
E O B P E L A F N W N D T N L T A U I S
H C O U W O O S M T E A O F F E T N E O
D P B A L L A D S Y N S N A U B O T M D
F J P F G N O X Y O R C Y R G H R A G Y
E A N T H E M D S U I O B E U K I R C V
H R I V A R I A T I O N L V E X O Y J I
```

MUSICAL INTERLUDE

- ANTHEM
- ANTIPHON
- ARIA
- BALLAD
- CANTATA
- CHANSON
- CHANT
- CHORALE
- CHORUS
- CONCERTO
- DIRGE
- ETUDE
- FANFARE
- FOLK SONG
- FUGUE
- HYMN
- LYRIC
- MARCH
- MASS
- MELODY
- OPERA
- ORATORIO
- OVERTURE
- POSTLUDE
- PRELUDE
- REQUIEM
- RHAPSODY
- RONDO
- ROUND
- SHANTY
- SONATA
- SONG
- SPIRITUAL
- SUITE
- THEME
- TOCCATA
- TUNE
- VARIATION
- VOLUNTARY

```
P M A C H I N E H F C D P U A Z N I X E
A M E Z N E W C I A O R B W S L U M K A
T C A C D A P T B I M A U L C E A H E R
E F B K G V R I V L P W I V H I S D B C
N I E F E A N T I F U Q L Q E C I B R O
T L P L M R N S R P T T D O M H Q Z I M
I P Y S L A B Q N Y E Z E X E J I T G P
F E E R C J X I S B P R N S C G I F H A
X A U I T T U U T T E I H M T J V U T N
P K R Z V I I C K E A T G A D G E T X Y
R M E Q X N N N J R M Z T G C E C X E D
O O K V E U I K B F Y A O E B W D O A I
T G A G H H N X E C P K L L R O O O S E
O L L G T G I M P R O V E H J S L R X T
T H B U I X N E C S U C C E E D L D K I
Y Q G S E D W C O N C E P T E D K I M S
P G E P H Q P R O T E C T B I N V E N T
E D S T O O L S V M H O P E Y D W R B D
S Y S Y S T E M R X T I C K B C F R J I
N O M M E T H O D X W B U G S Z Q C O X
```

INVENTIVE

- BETTER
- BOLD
- BRAIN
- BRIGHT
- BUGS
- BUILD
- COMPANY
- COMPUTE
- CONCEPT
- COST
- DESIGN
- DRAW
- EUREKA
- FAIL
- GADGET
- GENIUS
- GLUE
- HOPE
- IDEA
- IMPROVE
- INVENT
- ITEM
- LAB
- LOAD
- MACHINE
- MAKER
- METHOD
- NEW
- PATENT
- PEAK
- PROTECT
- PROTO-
- TYPE
- SCHEME
- SMART
- SUCCEED
- SYSTEM
- TEST
- THINK
- TICK
- TINKER
- TOOLS
- TRY
- USES
- WORK

```
R  U  Y  P  I  T  A  K  Z  V  T  G  A  Z  P  A  C  H  O  C
B  I  C  J  P  C  V  V  X  C  L  S  T  M  M  O  U  S  S  E
L  D  H  N  H  F  A  I  Y  P  S  P  J  O  R  A  J  M  T  C
M  N  A  T  O  R  T  E  C  O  X  R  Q  T  R  M  N  V  C  R
X  L  C  R  O  I  S  S  A  N  T  F  I  I  I  T  Q  Q  H  E
F  O  R  Y  N  G  S  A  U  E  R  K  R  A  U  T  O  R  I  P
C  Q  I  D  T  Z  U  X  M  B  R  I  O  C  H  E  I  N  L  E
S  Z  A  F  E  Q  Q  Z  C  Y  E  T  E  R  I  Y  A  K  I  D
A  F  V  A  M  J  D  J  R  H  S  U  A  G  T  A  C  O  M  Z
S  O  T  T  P  Q  W  R  C  J  Y  Z  J  P  I  Z  Z  A  S  T
H  N  W  F  U  V  U  I  C  V  V  I  I  M  L  H  P  P  U  C
I  D  P  A  R  C  U  Y  G  Z  L  R  A  Z  O  X  N  Y  S  W
M  U  S  L  A  Q  R  G  O  O  N  Q  N  N  R  L  Z  G  H  O
I  E  A  A  J  V  I  R  I  S  O  T  T  O  Z  A  F  R  I  N
S  Q  R  F  S  D  Y  V  P  P  A  T  E  S  O  S  I  H  S  T
A  A  M  E  W  R  A  G  V  A  I  H  O  U  G  A  S  U  T  O
M  X  I  L  A  R  H  K  Q  U  E  H  Y  Q  B  G  C  I  L  N
O  K  N  C  D  I  M  S  U  M  C  L  B  G  F  N  A  Z  N  Y
S  Z  T  A  B  O  U  L  I  A  J  Q  L  G  F  E  S  Z  N  A
A  F  H  T  C  I  B  N  N  Y  W  L  O  B  O  R  S  C  H  T
```

FOREIGN FARE

- BORSCHT
- BRIOCHE
- CHILI
- CREPE
- CROISSANT
- CURRY
- DIM SUM
- FALAFEL
- FLAN
- FONDUE
- GAZPACHO
- ISCAS
- LASAGNE
- MOUSSE
- NACHOS
- ORZO
- PAELL
- PATE
- PITA
- PIZZA
- QUICHE
- RAVIOLI
- RISOTTO
- SAMOSA
- SARMI
- SASHIMI
- SAUERKRAUT
- SUSHI
- TABOULI
- TACO
- TEMPURA
- TERIYAKI
- TORTE
- TORTONI
- WON TON

```
W R I T E R S B G C Q P I S S M V G B I
S F A M O U S H F O O T P A T H I A R V
T M U S E U M F T V J V J F C Q E F O Z
E V I L L A G E O Z P I A G W Z W R N H
A V A S C D I S U R A S L A J Y H S T F
M C H A P E L T R H R I C A F E O R E L
T D E M I L Y A I F S T Y V I A O L N Z
R H L N G H Y T S A O O N X D W N P F R
A Y I W C R Y I T M N R Y G A B H G Z G
I O O S A R S O R I A S S H M R G I N Z
N N Z R T M M N P L G P H K A A U T L R
N Q B N V O B G E Y E A O A S I I E X L
V I U D E W R J N E D R P X S L D V O F
L O I O S H A Y N F S I S B M W E Y K W
C O P C F P W G I I B S E K O A D E E A
I F Z H O N C M N G Y H L B O Y L N H L
P A E U S I S T E R S A O Q R J N G R K
I R R G Y W W S S T U D Y S A V C E S
W M G C V A U L T S H C H A R L O T T E
B P H H P D K P U B B J I D U P S Z E I
```

BRONTË BROOD

- ANNE
- BRONTE
- CAFE
- CHAPEL
- CHARLOTTE
- CHURCH
- COUNTRY
- EMILY
- FAMILY
- FAMOUS
- FARM
- FOOTPATH
- GUIDE
- HAWORTH
- HILL
- HISTORY
- LIBRARY
- MOORS
- MUSEUM
- PARISH
- PARSONAGE
- PENNINES
- PUB
- RAILWAY
- SHOPS
- SISTERS
- STATION
- STEAM TRAIN
- STUDY
- TALK
- TOURIST
- VAULTS
- VIEW
- VILLAGE
- VISITORS
- WALKS
- WRITERS

```
F D D Y S E U B U R X W A T E R R R L P
O K A M E O L S C D S N L T M K Z O R L
R K N F B M F K R F O J A H J J D L E E
E U G I W O B C M U O L R Y S X G A S H
S J E A O J E E H X T C M D M Q I C C A
T F R R I T M K R I V X B R O B G K U T
L A M P S R L C K S M J D A K X S P E S
P U M P E F C L O R Z N X N E I P P C R
S G F Y Y Q C R E U I W E T R T R T H E
H E O V Y Y C S A W G H J Y B U I E E L
I K A V K W O O F F U H S T R V N S M A
N Z M Z G H D R U Z T E E H A F K T I Y
G C W O R K I H D R P G W F V C L E C I
L P Y L G K R E A O A X E S E G E A A N
E Y W R A T T A R H N G Z C H U R M L G
S C G B U D F T I G B L E J H H O J S W
B U R N N P D H N L U Z R S W A X E S J
M E X L G E G E G J K P A N I C I D Q O
E B X L J D O O R S M V E N G I N E G A
L E X I T S N L F N C H O K E D Y J M L
```

FIRE SERVICE

- AIRCRAFT
- ALARM
- AXES
- BRAVE
- BURN
- CHEMICALS
- CHIMNEY
- CHOKE
- COUGH
- COURAGE
- DANGER
- DARING
- DIRT
- DOORS
- EMBERS
- ENGINE
- EXITS
- FOAM
- FOREST
- HATS
- HEAT
- HOSE
- HYDRANT
- LADDER
- LAMPS
- PANIC
- PUMP
- RELAYING
- RESCUE
- RISK
- ROOFS
- ROPES
- SHINGLES
- SMOKE
- SOOT
- SPRINKLER
- STEAM
- WATER
- WIND
- WORK

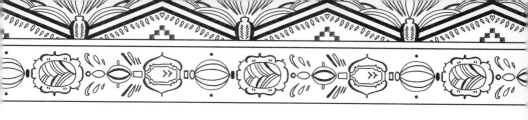

```
M C R U M B H W I B S P O T M R K P K I
O R P V T K W Y F M I P U D J O M J C D
R A O I E U N C S H S T Q O F A U M O R
S N X E N N M I C R O B E L B F V S W Y
E I G T E T S C I N T I L L A E S I E E
L M D P Y C A M O E B A V I E J O T L Z
X A A R J U Z C D O T T A S T E B U G R
S L H T I S F V J C Z L H K V T N I R G
B B L L O B U K K W G S C T C A B F A P
K Z D I O M L M B G F E E E R J Y K I E
I M A N E T U E Z C P P S G N A T B N B
S S S E D M V O T S P N W S U P T A F D
P M H A U Q D A B U I C A W O L Z G P S
R I P H T U B O P U D P V H R C E O R N
I D V Z J Q Z F R A G M E N T D R O D I
N G S P L I N T E R Q U H R A D O Y T C
K E O U E N B U V M I T E H C H I P V K
L N O P A R T I C L E W S J F L Y J A Z
E E P E E P Y M O L E C U L E H B W C B
G S S I P P E L E C T R O N J J K R A Y
```

LITTLE BY LITTLE

- AMOEBA
- ANIMAL
- ATOM
- BITE
- CHIP
- CRUMB
- DAB
- DASH
- DOLL
- DOT
- DRIBLET
- DROP
- ELECTRON
- FLY
- FRAGMENT
- GNAT
- GRAIN
- GRANULE
- INSECT
- JOT
- LINE
- MICROBE
- MITE
- MOLECULE
- MORSEL
- MOUSE
- ORT
- PARTICLE
- PEEP
- PENNY
- PINT
- PUPPET
- SCINTILLA
- SHADE
- SIP
- SMIDGEN
- SNICK
- SPECK
- SPLINTER
- SPOT
- SPRINKLE
- TASTE

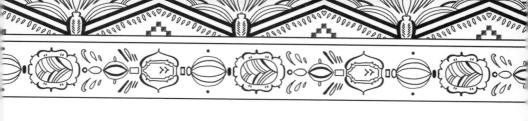

```
Z  T  C  M  C  A  L  L  B  Z  A  V  G  L  E  C  A  O  A  C
X  L  I  W  Q  N  X  S  Y  M  B  A  L  L  E  T  O  Z  M  S
C  L  U  M  D  I  N  N  E  R  R  E  O  E  S  W  I  M  G  N
F  O  B  N  D  U  F  I  E  S  T  A  R  L  F  F  W  R  U  X
U  S  N  E  C  F  Q  I  T  O  A  R  L  L  B  P  R  N  H  D
Z  Z  E  C  I  H  N  S  D  O  E  A  O  B  J  Q  V  A  V  P
S  F  R  Q  E  P  D  M  I  V  B  G  V  D  R  O  R  R  S  O
G  S  D  H  X  R  E  T  I  G  O  P  E  R  A  O  E  A  F  T
O  I  A  T  A  T  T  R  O  S  B  X  V  B  N  C  L  M  D  L
R  R  T  C  E  B  D  J  J  U  T  Z  Z  F  N  I  A  U  I  U
V  E  E  F  J  Z  K  A  L  P  R  S  Q  A  T  Z  X  S  N  C
O  C  Z  O  P  E  C  C  W  A  L  K  D  T  E  A  P  I  E  K
Y  E  F  E  S  T  I  V  A  L  Y  A  U  V  T  W  I  C  J  K
X  P  S  U  R  S  W  G  A  M  E  S  Y  U  X  B  C  P  G  B
A  T  H  T  Q  O  V  I  S  I  T  A  T  F  P  T  N  Z  H  V
E  I  K  T  H  C  F  P  W  C  Z  H  Z  R  A  B  I  R  S  K
W  O  O  S  L  L  T  R  E  A  T  V  N  H  R  M  C  C  T  G
C  N  M  E  E  T  C  A  I  C  I  E  C  G  T  S  X  J  A  Y
N  F  A  N  B  A  R  B  E  C  U  E  M  A  Y  F  O  R  G  P
K  G  B  W  B  O  I  E  V  L  G  V  U  J  D  Y  P  W  W  Z
```

SOCIAL CLIMBER

- BALL
- BALLET
- BARBECUE
- CALL
- CARDS
- CHAT
- CLUB
- CONCERT
- DANCE
- DATE
- DINE
- DINNER
- DRIVE
- FEED
- FESTIVAL
- FETE
- FIESTA
- GAMES
- GOLF
- LUNCH
- MEET
- MUSIC
- OPERA
- PARTY
- PICNIC
- PLAY
- POT LUCK
- RECEPTION
- RELAX
- SHOW
- STAG
- SWIM
- TEA
- TOUR
- TREAT
- VISIT
- WALK

```
C O P P E R K U W A R S A W E Y Y N F B
C H E M I C A L S G M K P S R E O W R P
L U X W T E M R O D E R E E I I N H O A
R A R T M A W A R S Y L N R S O W E K T
V S J Y U Q L F F P I I U A X A U A A R
I S W L K X J T L T H H V X L K U T M P
S O Y Q R M N A X C P N G L S G K E B A
T P H G A F E E A L I B A N C G W T C H
U R L B K C T M U N J I A W O O Z K N P
L X B Q O D I S A A T D I J A B L O D Z
A Y R I W D V M J R G K S D L N Z U Y B
X I Y M I J R Z A X H B O L J P T T Q R
K Y V G I E F M Y S I L E S I A M S Y G
R A E A G Y Q I C O M M U N I S M I Q G
R E P U B L I C P R C E M E N T U A A J
T U I R O N A L F Z H M H N L U G A J A
X K F Y J V H R L O S T E E L G T C J G
D S A L U B I N Y T P O Z N A N L D S T
Q P O M E R A N I A A G B U U M L V K V
S O L I D A R I T Y A J E J R A D O M W
```

A POLISH MEDLEY

- CEMENT
- CHEMICALS
- COAL
- COMMUNISM
- COPPER
- GDANSK
- IRON
- JUNTA
- KRAKOW
- LODZ
- LUBIN
- MACHINERY
- MARTIAL LAW
- POMERANIA
- POZNAN
- R.ODER
- R.VISTULA
- RADOM
- REPUBLIC
- SILESIA
- GERMAN INVASION
- SOLIDARITY
- STEEL
- SULPHUR
- TEXTILES
- WARS
- WARSAW
- WHEAT

```
I  J  T  N  K  R  R  O  I  I  J  N  I  P  H  S  P  H  P  D
T  M  B  B  I  T  P  E  A  K  Q  U  O  T  A  G  O  U  T  E
E  T  I  A  I  N  G  R  E  D  I  E  N  T  Z  R  R  N  R  T
M  I  J  Q  J  C  D  F  R  A  G  M  E  N  T  A  T  K  A  A
P  T  B  H  Y  P  O  D  O  T  B  Y  I  O  J  N  I  Z  T  I
F  H  E  A  R  T  X  I  N  O  W  H  I  T  N  U  O  H  I  L
Q  E  G  E  W  I  O  O  D  I  P  M  I  O  A  L  N  O  O  S
V  Z  Y  L  Y  N  I  D  C  N  A  K  I  T  M  E  P  T  N  U
A  Y  N  E  O  T  G  B  D  X  G  T  O  H  U  P  R  F  V  M
P  C  F  M  C  E  S  H  B  M  C  I  T  Z  J  A  J  A  O  M
E  V  S  E  D  G  C  R  A  A  E  S  C  R  P  P  U  C  S  I
X  Q  S  N  S  R  I  P  R  L  F  N  L  C  I  F  D  T  E  T
P  T  K  T  M  A  N  F  R  R  F  E  T  R  B  F  Y  O  G  L
G  U  O  T  I  L  T  M  W  N  S  W  G  M  C  R  L  R  M  Z
G  I  I  R  D  I  I  Y  M  R  Y  O  U  A  T  O  M  E  E  R
B  N  B  U  G  V  L  Q  O  O  N  R  M  E  M  B  E  R  N  G
U  U  I  E  E  X  L  M  I  J  C  G  Q  E  B  E  R  X  T  S
N  N  E  U  N  F  A  T  D  O  P  I  E  C  E  A  N  U  J  M
H  T  O  P  F  L  A  K  E  T  I  A  Y  J  B  O  T  T  O  M
U  U  A  I  A  R  D  A  B  I  N  Y  S  H  R  E  D  C  O  G
```

JUST A BIT

- APEX
- ATOM
- BIT
- BOTTOM
- COG
- CRUMB
- DAB
- DETAIL
- DOT
- ELEMENT
- FACTOR
- FLAKE
- FRACTION
- FRAGMENT
- GRANULE
- HALF
- HEART
- HUNK
- INGREDIENT
- INTEGRAL
- IOTA
- ITEM
- JOT
- MEMBER
- MORSEL
- NIP
- NUB
- ODDMENT
- PART
- PEAK
- PIECE
- PORTION
- QUOTA
- RATIO
- RATION
- SCINTILLA
- SECTION
- SEGMENT
- SHRED
- SMIDGEN
- SUMMIT
- TITHE
- TOP
- TRIFLE
- UNIT
- WHIT

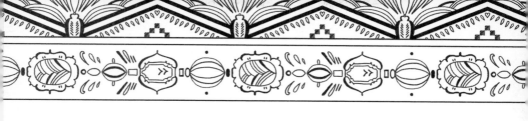

```
P E D E S T R I A N P K G M X W E C G G
O S O Y P O J U Q D P A R A D E K O T Y
Y T U L I E Q M N Q M X V W Z C J V D T
R S E X Y S T A I R S S Q E A N R F A R
B A B Z E R T S K I P E T R M Q C N N A
C L C K O O S T R I D E T W Q E F I C M
D A A E O V T V B R V W K Z U J N S E P
K R T F W J Q R Y K Q Q P J S G S T W S
B G T W P A C E E I L B M H T X N R Y T
L K C P A J S F S A P K M A R C H U Q P
A U U A G L N F W O D D U F U K M N C C
D T R T V L K F H X X M V L T L O G W U
D H B H B X C O B B L E S T O N E N R S
E D L Y Q Q G V B U L B F R Y D I R Z K
R T S X X R A M J S D V H O Z P O B C D
B O O T G T I P E D A L G A S S X I J N
S U H O E L T X T S F L S D Z I K P Q R
I U I N C P Q T C E S T A M P V G L P N
D H K K M V S T O O L C H K S T R O L L
A A E C F L D I S T A N C E V E U L V M
```

KEEP WALKING

- BOOT
- BRAKE
- CATWALK
- CLIMB
- COBBLESTONE
- CURB
- DANCE
- DISTANCE
- FOOT
- GAIT
- HIKE
- HOP
- JOG
- KICK
- LADDER
- MARCH
- PACE
- PARADE
- PATH
- PAVEMENT
- PEDAL
- PEDESTRIAN
- RACE
- ROAD
- RUNG
- SKIP
- STAIRS
- STAMP
- STEP
- STOOL
- STRIDE
- STROLL
- STRUT
- TRACK
- TRAMP
- TREAD

```
C T B R E A T H I N G M O Z D P J K F L
C V C G U C R E A K M U F F L E E W Q G
A A S I L Y T P L I N K G T X I A M E R
K U Y G C R O O N H U M M I N G Z L R U
C O D G N T T P P P D R I P K R B I K T
O P B L P E R C O L A T E S Z M H O B R
G Z L E Z L I G T I O T I V U W Z O U Z
P U S U I W C N S M J H H M C Y W T J Q
I I R W N F K K P P W W W H I S P E R E
T M H G I K L W A S Q U E A K M T C L M
T F R C L S E U T M U R M U R R E Z Z E
E X R U N E H R T Q W N E J X L Z T E W
R L L W S I F F E T Y N Q O Z I N L K I
P C H W G T N S R P E P J Z R A K U R N
A B I T P A L H P S H R I D P N H G P G
T J S D O U S E N R N S R Y I G Z R P O
T G S M E U F I Z Z A T F T I S U R K T
E D N P H J C F T W X Y U S Q L I M M X
R S V A N L A P P I N G J O S H F H N T
O S G U L P P U R R I N G N C U L X N O
```

GENTLE SOUNDS

- BREATHING
- CHIRP
- CREAK
- CROON
- DRIP
- DRIZZLE
- FIZZ
- FLUTTER
- GIGGLE
- GULP
- GURGLE
- HISS
- HUMMING
- HUSH
- LAPPING
- MEWING
- MOAN
- MUFFLE
- MUMBLE
- MURMUR
- PANT
- PERCOLATE
- PITTER-PATTER
- PLINK
- PLUNK
- PURRING
- RUSTLE
- SIGH
- SIZZLE
- SLURP
- SPATTER
- SPRAY
- SQUEAK
- SWISH
- TINKLE
- TRICKLE
- WHIRR
- WHISK
- WHISPER

```
M A P C L E A N H R H K E S O C P Y L N
H S U B L Y S Y N C I Q T O E T V T V X
Z J C L J S S O R D X N P J F A M I U S
T N B N C V Z I L O X M S Z W Q L D N S
U H S R S L O L S G A X V E R R H Y T N
H K Z H U T I Q S H H I V U U C O U S N
A O Q B I S Y P S P J P Y C N Y C T M E
I N O A F N H L P J R R H U C R O O S A
R M V X G A Y K E E D A R Z I O A Y H T
D A O C O L O U R W R T Y A R K K I A M
R S L B W A S H S Q Z S H Q D M C O M B
E S U L E G R E A S Y D S T R I M O L N
S A M O F L O W I N G Q Z F N F F Y W F
S G I N Y S C I S S O R S D V M U P X F
E E S D X X R P O S A L O N Y S R G R E
R K E E V X Z G B R U N E T T E H K P G
Q D R M W B J B A S H A D E E O V O U L
B A S C A L P S D A N D R U F F J S R H
X O K N P O Y K M Y L O C K S S E T Q T
W N B X C O N D I T I O N E R W N R I J
```

CUT AND DRIED

- BLONDE
- BOB
- BRUNETTE
- BRUSH
- CLEAN
- CLIPPERS
- COLOUR
- COMB
- CONDITIONER
- CURL
- DANDRUFF
- DRY
- DYE
- FLOWING
- GREASY
- HAIR CUT
- HAIRDRESSER
- LOCKS
- MASSAGE
- NEAT
- OIL
- RINSE
- ROOTS
- SALON
- SCALP
- SCISSORS
- SET
- SHADE
- SHAMPOO
- SHINY
- SHORT
- SPRAY
- STYLE
- TIDY
- TRIM
- VOLUMISER
- WASH
- WAVY

```
D T M D T F J O T H E M Q T Q Y R O S C
C B J S O R H F K M C S N O L A N S Y S
B Z E W E Y M F B F U R E R Y S E W X P
N R M E N A H C L P Y R A E E D A I T I
N P O K G U R V O V H M X M A T H N U N
S B T S Z E T C Y Q A Y E L W O M G J N
C B A T D M E N H L S R S F A C E S D E
R D A C S R X S A E P E I I Z D W H O R
D U H N H B H H X U R O V P H V J G D S
M B I D D E S O S P A S S M O K I E Y D
E L U M C A L O O Y O B A N S H E E S R
R I Q G C I I O Z K Z L M H S H M L S E
A N K T N I H D R J X P I E E H V R E A
S E E K E R S P Z S S K L C L U Y K Y M
U R S H A D O W S L E T M T E D L G L E
R S T A T U S Q U O A T B O N E Y M S R
E X D M Q U E E N E K A N I M A L S M S
T T J J Y R F P B G E H C O M E T S R P
C S A N T A N A P W H A M A N T A B B A
M T O T O H X Y M E A T L O A F N J R G
```

MUSICAL GROUPING

- ABBA
- ANIMALS
- BACHELORS
- BAND AID
- BANSHEES
- BEATLES
- BEE GEES
- BONEY M
- BROS
- COMETS
- DREAMERS
- DR. HOOK
- DUBLINERS
- ERASURE
- FACES
- MEAT LOAF
- NOLANS
- ODYSSEY
- OPUS
- POLICE
- QUEEN
- SANTANA
- SEARCHERS
- SEEKERS
- SHADOWS
- SHALAMAR
- SLADE
- SMOKIE
- SPINNERS
- STATUS QUO
- SUPREMES
- THEM
- TOTO
- WHAM
- WHO
- WINGS

```
I  V  Q  K  B  C  K  R  A  Y  U  F  Y  Z  D  A  A  F  R  I
F  C  F  C  R  T  Q  E  F  L  R  Y  Z  N  A  W  M  E  E  I
R  F  H  R  E  R  R  J  Z  P  I  E  I  C  A  J  R  B  C  V
E  O  Z  E  S  U  E  E  R  P  A  C  C  A  X  I  G  D  R  D
G  J  W  W  E  R  M  C  T  E  S  O  I  U  U  R  S  O  U  J
R  P  A  A  N  E  I  T  O  E  P  R  R  Q  R  E  U  I  I  R
E  R  J  R  T  F  T  R  R  U  U  E  E  K  F  A  V  T  F
T  E  O  D  R  E  P  O  R  T  D  R  L  V  P  L  A  D  V  A
B  L  C  D  E  R  L  R  E  D  R  E  S  S  A  E  Y  Z  I  R
O  Y  R  R  E  M  A  I  N  R  G  P  J  A  E  C  N  X  R  B
K  O  V  E  U  O  R  Q  R  E  G  A  L  E  A  T  D  T  E  M
B  H  H  R  L  R  R  E  J  O  I  C  E  C  I  J  G  N  B  V
R  G  R  M  E  E  E  T  M  V  R  E  C  E  I  V  E  P  U  D
E  J  E  G  J  B  N  T  Y  A  Q  R  E  L  E  A  S  E  F  R
G  K  H  V  S  A  E  T  O  U  K  N  R  E  P  E  L  F  E
R  P  E  Z  C  E  Q  L  C  R  Q  D  S  R  E  C  E  S  S  F
E  J  A  E  Y  V  S  I  B  F  T  R  E  V  O  L  T  D  I  R
S  R  R  E  T  R  A  C  T  Y  R  E  T  A  R  D  X  U  I  A
S  E  S  E  G  U  R  E  V  U  E  P  C  N  K  M  A  A  M  I
F  Q  E  O  W  J  Y  U  E  Q  D  R  E  F  U  T  E  G  V  N
```

RE...

- REBEL
- REBUFF
- RECANT
- RECEIVE
- RECESS
- RECORD
- RECRUIT
- RECUR

- REDRESS
- REFER
- REFLECT
- REFRAIN
- REFUTE
- REGALE
- REGRESS
- REGRET

- REHEARSE
- REJECT
- REJOICE
- RELEASE
- RELENT
- RELY
- REMAIN
- REMAND

- REMIT
- REPEL
- REPENT
- REPORT
- REPULSE
- REQUIRE
- RESCIND
- RESENT

- RETARD
- RETORT
- RETRACT
- REVOLT
- REVUE
- REWARD

```
O Z P A S S E D D R I V I N G T E S T G
X X H E V D C T H K R E P H N R X X J E
J K W Z Q N N U C G N D Y B E B E G W T
H V E T E D Y U A I H H B H N G T R O W
S J D W G G L T T N T P E O A Q A D O E
G Q D B B D X N O A F R I Y C E Y M B L
Y F I H O S E O P K E T O L Y R K T I L
S S N O E L S M Y W A V H W L N D H R S
R T G X A U Y B U U N H E J A W Q A T O
Q X R V O S A O D O O N D U N P T N H O
T X L Y N B Y A B D I D N B V S J K D N
H F E I W H R N Z Z K G J L C A B Y A A
S E Q E S G I N V I T A T I O N D O Y M
S D N I S E N G A G E M E N T F W U P D
R Z W X C O N G R A T U L A T I O N S I
Y W E A S T E R U N A Q F J X L X W K V
C H R I S T M A S I D T T F U V G M L O
J Y O C E L S V K N E W H O M E R Q Y R
R G E B E C O N F I R M A T I O N P Z C
B Z H E T A K A N N I V E R S A R Y N E
```

CARD OCCASIONS

- ANNIVERSARY
- BIRTHDAY
- BON VOYAGE
- CHRISTMAS
- CONFIRMATION
- CONGRATULATIONS
- DIVORCE
- EASTER
- ENGAGEMENT
- GET WELL SOON
- GOOD LUCK
- GRADUATION
- IN SYMPATHY
- INVITATION
- NEW BABY
- NEW HOME
- NEW YEAR
- PASSED DRIVING TEST
- SEE YOU SOON
- THANK YOU
- VALENTINE
- WEDDING
- WISH YOU WERE HERE

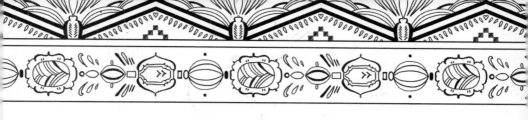

```
L Y O B I K T K H S V J Y V A K W D U S
M G Z D P L I E R S C X A P U I F R M C
H A E J I G S A W S I R M K J V E I E R
A H L D R I V E T F O A E M E N D L S E
C I M L C C W K Y F R C J W T G U L P W
K B B P E B E B G C K N K H S R X N S D
S S S R P T R U G R N N W E E L E U A R
A A V F A L L A E E E D M N T N H T N I
W N H G I P A T C T I S N H O E O C D V
Y D A P U L U N S E W A S T N V X D P E
A E M Z U O E A E O P U S O E G T L A R
G R M Y R N F S U S R L V P D N S Q P V
W R E N C H C I T B I I A P I L Z E E R
H E R F K R C H E O P T A O I G U Q R W
E T X D E I L R K T S I J A I L B M N D
Q D Z H Y X I H N X Z V N B G F O F D F
M T S C Q W N Z T V K D K P R U L E D M
B A Q Q R U P P R X D O O W Z P T B F S
W H R M C H I S E L O J H R A T C H E T
Z G R I N D E R I H B U T F K W R M N H
```

TOOL BOX

- BOLT
- BRACE
- CHISEL
- CRAMP
- DRILL
- FASTEN
- FILE
- FIX

- GLUE
- GRINDER
- HACKSAW
- HAMMER
- HOOK
- JIGSAW
- JOINT
- MALLET

- MEND
- NAILS
- NUT
- OILSTONE
- PIN
- PLANE
- PLIERS
- PLUG

- PUNCH
- RATCHET
- RIVET
- ROUTER
- RULE
- SANDER
- SAND PAPER
- SCREWDRIVER

- SCREWS
- SOCKET
- SPANNER
- TAPE
- WASHER
- WIRE BRUSH
- WRENCH

```
J  N  M  E  G  B  I  C  T  A  L  I  S  M  A  N  O  F  N  S
I  O  H  T  O  C  W  F  Y  D  C  S  U  M  T  M  N  V  X  L
K  I  P  J  B  L  N  Z  W  S  F  E  U  T  A  B  O  O  U  K
C  S  I  M  E  A  T  Q  G  M  Y  S  T  E  R  Y  P  V  E  T
H  E  H  Y  A  I  C  P  S  Y  C  H  O  K  I  N  E  S  I  S
A  X  O  E  H  R  K  R  A  Y  N  X  K  X  N  T  L  N  Q  D
R  S  V  X  X  V  Y  N  F  G  A  P  H  A  N  T  O  M  Y  H
M  W  G  P  T  O  I  N  C  A  N  T  A  T  I  O  N  O  S  O
P  K  H  A  R  Y  Q  A  P  P  A  R  I  T  I  O  N  H  W  R
O  C  B  R  A  A  Y  W  Z  D  L  U  K  J  V  O  O  D  O  O
L  O  I  A  N  N  G  D  V  V  E  U  Y  O  P  W  B  V  D  S
T  N  C  N  C  C  H  C  U  A  I  M  C  I  S  C  T  Q  J  C
E  T  U  O  E  E  O  A  N  K  Z  I  O  C  J  K  H  T  L  O
R  A  L  R  E  U  S  U  E  M  H  Y  I  N  Y  P  N  A  I  P
G  C  T  M  S  O  T  G  W  C  R  G  H  L  T  U  Y  D  N  E
E  T  P  A  A  X  N  H  Y  E  A  P  J  I  A  G  I  C  X  T
I  R  D  L  K  A  C  S  C  M  B  C  R  H  A  M  U  L  E  T
S  T  L  N  R  T  P  R  Y  G  I  I  S  E  A  N  C  E  L  E
T  Y  T  T  I  W  O  M  P  E  P  Y  O  H  S  P  E  L  L  N
P  E  S  W  E  S  P  D  Y  S  L  C  E  R  E  M  O  N  Y  L
```

HIGH SPIRITS

- AMULET
- APPARITION
- CEREMONY
- CHANT
- CHARM
- CLAIRVOYANCE
- CONTACT
- CULT
- DEMON
- ESP
- GHOST
- HAUNT
- HEX
- HOROSCOPE
- INCANTATION
- MAGIC
- MYSTERY
- NOISE
- OBEAH
- PARANORMAL
- PHANTOM
- POLTERGEIST
- PSYCHIC
- PSYCHOKINESIS
- SEANCE
- SORCERY
- SPELL
- SPIRIT
- STRANGE
- TABOO
- TALISMAN
- TRANCE
- VOODOO
- WITCH

```
A N I M A T I O N Y O S Z B H Y A S V C
C Z J E A L O U S Y F P F F V C Q W V Y
A V Y C V H I N T U I T I O N C B D Y Z
R P A T I E N C E S R Z U Y Y V Q E U X
E Q A W O R R Y A M B I T I O N D M V F
W I S D O M H T O U C H Y W S I E T V A
R X V Z A X D Z W G R A C E R H V Q W Q
O U L T A S T E F P I V P P V L A R V P
D Q R H K M H C A N G E R K D A B M L I
A F C O U R A G E R E A S O N U K X E T
B B T E N E R G Y Y R Q O C V G D P L Y
R S T P G J N J O Z F T R J S H Z L D M
C C H R O O C J T Y C Z V Z L T T E E E
M C O A Q H O L E E H A T E O E L A V N
S O U I A D D V L W I L L G V R M S O V
P M G S R Q R L M W I W P H E I R U T Y
E F H E K E E W I T E N S I O N W R I G
E O T M N T Q F E M O T I O N M L E O F
C R F X N V N F E A R T R U S T M G N Y
H T M I K C F E E L T W T K I Q S E F A
```

TRAIT AHEAD

- AMBITION
- ANGER
- ANIMA-
- TION
- CARE
- COMFORT
- COURAGE
- DEVOTION
- EMOTION
- ENERGY
- ENVY
- FEAR
- FEEL
- GRACE
- HATE
- INTELLECT
- INTUITION
- JEALOUSY
- JOY
- LAUGHTER
- LOVE
- NERVE
- PATIENCE
- PITY
- PLEASURE
- PRAISE
- PRIDE
- REASON
- SHAME
- SPEECH
- TASTE
- TENSION
- THOUGHT
- TOUCH
- TRUST
- WILL
- WISDOM
- WIT
- WORRY

```
M U N D E C I D E D A N D I S P U T E I
M I X N T R R S K O Q U E S T I O N E U
B D E M U R U D R U F S C A R Y W U R O
X P B U T O B U T B C O Q P U N O O   H
O P C P I A A B K T H D N O E C N E S F
O I U R Z Q F I A S A D F K I S D U H I
T H U Z V D F O B O N L T N Q A E J I M
R C H F Z Q L U W H C Y Y G H M R W L I
I S S T L L E S W Y E C Q L E A H Q L S
A I P B H V E L E E R Y M L S Z W O Y T
L F A O Q U H L Y Y J A L O I E A B S R
S T Z K N A E R B E W A M S T D V S H U
H T F B E D A B T Z C V N T A H E C A S
R L I O P D E A H I S A U P N Q R U L T
I X V M N X L R T J U U N Q T C U R L G
F K M A A L G P U M S L S V U L I E Y X
T D U B I G E C E G P E U E B A R M R M
G Q B C U C I H R R E C R O B S L W V Y
L J A B S G V N N B C E E K F H G M N J
M V S O O U N C E R T A I N K A B Q B V
```

HAVE DOUBTS

- AMAZED
- BAFFLE
- CHANCE
- CLASH
- CURIOUS
- CYNIC
- DEMUR
- DISPUTE
- DOUBTS
- DUBIOUS
- HESITANT
- IMAGINE
- LEERY
- LOST
- MISTRUST
- OBSCURE
- ODDLY
- PONDER
- PUZZLE
- QUALM
- QUANDARY
- QUERY
- QUESTION
- RIFT
- SCARY
- SCEPTICAL
- SHILLY-
  SHALLY
- SIFT
- SUSPECT
- TRIAL
- UNCERTAIN
- UNDECIDED
- UNSURE
- VACILLATE
- WAVER
- WONDER

```
B S B L U W S C G X O F F I C E T R Z M
W C S U D K J O T H E M E U G D M A T H
J H R Y S I N L Q S P E L L O O Z L D H
M E F A T H C L Z C E V R E I O W C S G
X D T Y J G Q E I O P S D Z D C H U M S
Y U S P V G C G A R Z J E C Z O X Q C S
D L A F E P I E W E V F U A F M K N L B
R E T O M F G L V C C A F E T E R I A C
I B C L O C K E R R H X B R G E Q Y S I
L U H S P O R T S S C I E N C E D C S V
L H E N A L G E B R A H L M C A Q I Y I
V D L D I O R J C E P J P D E K K T G C
I M X P S T U D Y Q O K G R A D E E S S
V X A H A P R I N C I P A L R Q Z X C H
E N G L I S H F R I E N D S M T D T U I
U I S T U D E N T U T E A C H E R S R S
E L Y U R E P O R T L E S S O N U N F T
F E U X W O R K B O O K H A L L S N E O
R R C I F M B B K T E S T B I L S Y W R
K F S N A B A N D A I C H O R U S F L Y
```

SCHOOL REPORT

- ALGEBRA
- BAND
- CAFETERIA
- CHILD
- CHORUS
- CHUM
- CIVICS
- CLASS
- COLLEGE
- CURFEW
- DRILL
- ENGLISH
- FRIENDS
- GRADE
- HALLS
- HISTORY
- LESSON
- LOCKER
- MATH
- OFFICE
- PRINCIPAL
- READY
- REPORT
- SATCHEL
- SCHEDULE
- SCIENCE
- SCORE
- SEAT
- SPELL
- SPORTS
- STUDENT
- STUDY
- TASKS
- TEACHERS
- TEST
- TEXT
- THEME
- WORKBOOK

F B Q S R T U W Q D N G L A B A U L K A
I O S J E J O I L W W T A B A I Z E B X
D I F R F P G W O I O L O N O P U E I K
M P K A E L Y R N P U G K N D C G B T I
C O Q C R A B R Y O E N N E Z O K L C S
U C C I E Y Q L F D X E R P Z M I A I S
T K W I E E G K I O R X S N I V K C A L
R E S C O R E S Y M R R O K A N E K J P
I T P L J S S T T U I C H A L K A D R
A E G D D N E L N O S A V M A X I M U M
N S R K K F J A L N I F T A B L E T I Q
G G E A A B L O E H E K W C U S H I O N
L U E S R P C T Y B R E A K B A L L S L
E V N F M E X P E F Q G K U S K X G L S
K T Y V D E S I L D J C M A H J M A T B
B L U E X Q R T L L M L G R O Y B N W X
O D I W H I T E O J S N F P T E I X Y O
T C F R A M E W W W P L Y J E O L I V M
Y M S W E R V E Y K O Y F R P C W B A L
E S N O O K E R I V T R F N K P M Y J O

RIGHT ON CUE

- BAIZE
- BALLS
- BAULK
- BLACK
- BLUE
- BREAK
- BROWN
- CHALK
- COLOURS
- CUE
- CUSHION
- EXTENSION
- FOUL
- FRAME
- FREE BALL
- GREEN
- KISS
- MAXIMUM
- MISS
- PINK
- PLANT
- PLAYERS
- POCKET
- POINTS
- POT
- RED
- REFEREE
- REST
- SAFETY
- SCORE
- SHOT
- SIDE
- SNOOKER
- SPOT
- SWERVE
- TABLE
- TRIANGLE
- WHITE
- YELLOW

81

```
T S U R C E X C Q D O U G H J N E G B A
M H B Q Y D A E R Q H G W R J A G H U U
I A F A B M T S F O F W W X S C Y R N L
E T E M G F F U W R W R A Y I C C C T S
T E R M Z E A H P C E T E R J M O H R Z
L T U T S L L O R R O C S N M D U Y A M
H I T Z B Z N S M M O M I E C G N Z T E
Y H X M I N J E M T F C B P I H T T S A
V W E I E N E A H B O V E I E A E E P S
C U T Y K D G V M C T J E S N T R M L U
M D L O A F I R O O T T M E S E T P S R
M O N I T O R U E Z U I Q W F E O E R E
P G S J M A E D M D V N K C T W P R A Q
C H I S X H A D Q Q I H T C D S K A I V
Q S D O O M T I M E R E B M P F L T S L
U E V A E R N E E N I L N E Z Q B U E I
P R T M R K I Q R M E G I T T J M R E G
E F O C S K T R Y N E M T H S W Z E X H
A H B A T C H N D G A D I O Q E K A B T
W S Y N K S U P P L Y L U D D A E N K T
```

HALF BAKED

- AMOUNT
- BAGELS
- BAKE
- BATCH
- BLEND
- COMBINE
- COUNTER-TOP
- CRUST
- DARK
- DOUGH
- EASY
- FRENCH
- FRESH
- HOMEMADE
- INGREDIENTS
- KITCHEN
- KNEAD
- LIGHT
- LOAF
- MEASURE
- MEDIUM
- METHOD
- MIX
- MONITOR
- OVEN
- PROCESS
- RAISE
- READY
- RECIPE
- ROLLS
- START
- SUPPLY
- SWEET
- TEMPERATURE
- TEXTURE
- TIMER
- WARM
- WHITE

```
P P S Q W P A V D F D E T U R K E Y S P
A E I T F P T M S L S O Z H K R T N L T
S A U P P S W Y K E P E O E A O R X V W
T S M L I R A S E V P R G B O A A V U B
U N E G Q G N G Q E S T O Y J D C Z R G
R S X C V C S G V E A A C S S T P N U
E S F P I H D C S D B E T F R I O V E S
Z Z D M J Y V A P W P H S X K T R Z R C
E G B Z I H Z L M S E W B R A S S E S O
Q A Z A U C D V D B E Z V T E J T V A R
J U V S R D E E S T H Z O C H S Q X D N
S P E W B N H S Z P S E N K E J Y N C K
Q U G O B S Q S H U S E N V V U O V V P
F Q E R P O N A L G F A R T H P E S P V
P I T C L E Y R H R T A T R U C K A A G
C K A W P X M N R A H H N E D R A G H M
D X B S S N E K C I H C T M F I E L D S
H E L F O J Y D F N O L Q F T R F Z T Q
W R E C J I K R V O O O M O W E R S H B
V M S N E H H K W F O C U C O W S Z S Z
```

ON THE FARM

- APPLES
- BARN
- CALVES
- CHICKENS
- CORN
- COWS
- CROWS
- FENCES
- FIELDS
- GARDEN
- GEESE
- GOATS
- GRAIN
- HARVESTERS
- HAY
- HENS
- HORSES
- MICE
- MOWERS
- PASTURE
- PEAS
- PENS
- PIGS
- POND
- POTATOES
- ROADS
- SHEDS
- SHEEP
- TANK
- TRACTORS
- TRUCK
- TURKEYS
- VEGETABLES
- WHEAT

```
G P S   R D N S A D M I   T T E D U C D A Z
A B I   C E C Q D Q S Y G F V S L J E S O
L Y D   P X V Y E D E E S I N A I A L C Z
I M O   N A O A L E G B W A E V A T L E C
E A N   Y U E D G A P H I D A O R T U N D
N N X   B U O C N R X N O C H D M E N D N
A G B   M W X T A L E E T W X I B N N E O
T U T   K B Z M S Y A E R U D A A D A D C
E I A   V I D E S A D I D I H R N A G K S
D S C   I H P W O R I A K O T F D V P D B
A H L   Q J A S K E D D E D D A W O A E A
B E S   J D D J R K A D B L E D N I R G G
R D E   I W E O A W M I C Y R O P D R N K
O F C   F A R H A C U C W Q O O F D I E A
A A L   J P O R A U H T X A H H E E V V M
D A T   T E D N D G K E X A C T E T E A A
W R L   K D A B H Y E D D M N L N A D J Z
X I C   U D A E H A D D H E A U B B X E E
R D C   P B X N C C G V P N K D G A M O D
C D E   D U A L P P A Y Z D E A F X R P V
```

A TO D

- ABATED
- ABROAD
- ABSCOND
- ACHED
- ACID
- ACTED
- ADDED
- ADDICTED
- ADMITTED
- ADORED
- ADULTHOOD
- AFRAID
- AGED
- AGREED
- AHEAD
- ALIENATED
- AMAZED
- AMEND
- ANCHORED
- ANGLED
- ANGUISHED
- ANISEED
- ANNULLED
- APED
- APHID
- APPLAUDED
- ARID
- ARMBAND
- ARRIVED
- ASCENDED
- ASKED
- ASTOUND
- ATTEND
- AVENGED
- AVID
- AVOID
- AWARD
- AXED

```
X D D N A S S U R A N C E M R L M Q Q L
A D S C R I B F H S G U Y Z S C R T R Z
P O Y X S F R I E N D S H I P U H C K F
T P L A U G H T E R W S K M O D K A Q W
N T H S F C O N C E R N E B C O N M R H
U I G I E G S M I L E S H H O F C H T M
Y M E N L Y G L Y O J G C E M H O O V H
C I N C L M A F M G I S O A P A N S J B
A S E E O F I Q O E S J R R A R S P O A
M M R R W E E F N E M N D T N M I I V M
A J O I S C T Z N S W V I I I O D T I U
R J S T H U Y D A D O I A N O N E A A N
A N I Y I C N I N Z A T L E N Y R L L I
D C T J P I S V J V B A I S S V A I I T
E B Y D K U B R R K S L T S H V T T T Y
R P G H H Z I H V S B I Y Y I G I Y Y O
I A U T N W A R M T H T B W P W O X F S
E A N I M A T I O N Y Y B T C C N K T M
D E G E N I A L I T Y P C J W B S E W K
F V V I V A C I T Y R U W C O M F O R T
```

FRIENDLY

- ANIMATION
- ASSURANCE
- CAMARADERIE
- CHARM
- COMFORT
- COMPANIONSHIP
- CONCERN
- CONSIDERATION
- CORDIALITY
- ENTHUSIASM
- FELLOWSHIP
- FRIENDSHIP
- GAIETY
- GENEROSITY
- GENIALITY
- HARMONY
- HEARTINESS
- HOSPITALITY
- JOVIALITY
- KINDNESS
- LAUGHTER
- NEIGHBOUR
- OPTIMISM
- SINCERITY
- SMILES
- UNITY
- VITALITY
- VIVACITY
- WARMTH

```
C H U B Y C H A I C C R U S T A C E A N
Z J J C R I C K E T A F C Y Y W C C C I
A C A T E R P I L L A R R G C V H O U T
C C A N A R Y Z S X S W A L A D I D B S
C R O W Y I C L A M P X B C T L P F W X
T Z W X C I X C H E E T A H R H M I G V
E O O W K C H I M P A N Z E E A U S K P
C N K C H K C E W F W V O M S Z N H J Q
C S I N O C A S S O W A R Y U Q K E C L
C A W H G T L C A L F D C O N C H R A V
C C R T F F T B C A T F I S H Q H F M N
H N H I C C B O I C R O C O D I L E E B
I O A I B H A C N B X C A T T L E R L C
C T F C N O A R O T E O V C P R R W Y O
K D A Q O C U M D L A Y T Y O V D P U C
E L L Z Y U H Y E I L I B G G Y R A P K
N C A P O N G I H L N I L N B A O M Y A
V S D K N S B A L F E A E E C P A T I T
P C U C K O O Q R L G O L T I L K C E O
W V C O B R A C V U A D N C V T J X G O
```

C CREATURE

- CALF
- CAMEL
- CANARY
- CAPON
- CARDINAL
- CARIBOU
- CARP
- CASSOWARY
- CAT
- CATERPILLAR
- CATFISH
- CATTLE
- CHAMELEON
- CHEETAH
- CHICKEN
- CHIMPANZEE
- CHINCHILLA
- CHIPMUNK
- CHUB
- CLAM
- COBRA
- COCKATOO
- CODFISH
- COLLIE
- CONCH
- COTTON TAIL
- COUGAR
- COW
- COYOTE
- CRAB
- CRANE
- CRICKET
- CROCODILE
- CROW
- CRUSTACEAN
- CUB
- CUCKOO
- CYGNET

```
R A N D O M Y M I S A D V E N T U R E T
C R A S H R Z X J Y G P R S K Y T U I T
C J V R W I C H I H S N N I P O K V H C
S R B Y X G O A S R D I S A S T E R Q F
O M I T I Q N P K L Z D N J E Z F F B O
L H O N N Z T H B B I R P S R N X V R R
G U P W A E I A V P W M N G E P G X E T
S F C K D L N Z P J R E E U N R R F A U
M I R K V H G A K Z P K M T D A Y Z K I
A M S L E U E R X P U N I U I N R M K T
S I W I R N N D A L Z P S R P G S C U O
H S F S T E C H F Z S I F N I L J A C U
C C E P E X Y A T V V L O U T K B L O S
H H D I N P B J N B H E R P Y N T A L T
A A L L T E H L Y R I U T G M Q B M L B
N N W L A C U H S K Y P U H I D U I I D
C C O W W T G Q F H U R N N S I K T S H
E E U O S E S S J B U Y E A H C A Y I W
D U L E N D F A T E T N M R A O P F O K
W B C A S U A L T Y V Q T R P N D Z N Y
```

ACCIDENTAL

- BLOW
- BREAK
- CALAMITY
- CASUALTY
- CHANCE
- COLLISION
- CONTINGENCY
- CRASH
- DISASTER
- FATE
- FLUKE
- FORTUITOUS
- HAPHAZARD
- HAPPEN
- INADVERTENT
- LUCK
- MISADVENTURE
- MISCHANCE
- MISFORTUNE
- MISHAP
- OMIT
- PILE-UP
- PRANG
- RANDOM
- SERENDIPITY
- SHUNT
- SMASH
- SPILL
- TURN UP
- UNEXPECTED

93

```
Z  P  G  Y  A  D  D  Y  D  Y  F  N  V  E  Y  E  W  L  D  E
K  Y  T  R  V  R  B  Y  C  M  R  I  N  T  H  I  M  B  L  E
Z  K  T  M  S  K  F  J  S  E  I  I  J  W  L  H  A  K  N  V
G  Y  Z  P  L  J  Y  A  T  F  H  B  T  X  C  S  Z  O  B  F
Y  Z  O  U  L  J  D  T  C  C  D  R  N  A  C  V  A  N  I  A
W  O  T  H  W  F  A  R  A  I  U  K  S  O  S  I  V  H  H  S
L  K  I  G  J  P  D  M  R  S  N  H  V  R  K  V  W  N  Q  T
W  A  Z  T  U  H  G  Q  Z  Y  K  G  O  K  E  S  R  Z  S  E
M  G  A  X  P  N  G  G  S  Y  Z  S  Z  T  L  N  T  T  M  N
J  U  P  L  I  X  L  M  X  K  S  S  G  T  A  A  A  A  A  E
S  R  W  A  R  Q  G  C  I  H  E  G  H  S  P  C  P  T  R
V  U  E  M  V  C  R  B  C  C  Y  A  U  R  T  A  K  E  E  Y
U  S  U  I  P  N  E  S  K  F  A  M  X  E  I  C  L  M  R  D
V  B  D  Z  O  M  T  G  P  B  M  R  K  A  C  V  Z  E  I  F
P  N  O  T  B  H  M  H  W  I  K  I  Q  D  C  S  P  A  A  F
I  M  T  B  Y  G  J  O  B  S  N  P  W  V  M  P  I  S  L  P
N  U  T  Y  B  Q  F  O  I  M  F  P  O  Z  I  G  W  U  L  C
B  E  V  T  G  I  O  K  Z  H  T  E  M  Z  G  D  N  R  Y  Q
J  U  D  S  J  W  N  S  R  E  Z  R  C  Z  M  H  O  E  L  O
K  X  R  P  T  L  V  S  H  M  K  P  N  E  E  D  L  E  U  Q
```

SEW WHAT?

- BOBBINS
- BUTTON
- ELASTIC
- EYE
- FACING
- FASTENER
- HEM
- HOOKS
- LACE
- LOOPS
- MATERIAL
- NEEDLE
- PATTERN
- PIN
- SCISSORS
- SEAM RIPPER
- SEWING MACHINE
- SNAP
- TACK
- TAPE MEASURE
- THIMBLE
- THREAD
- ZIPPER

```
A T A P O R T I O N T N N C S L P L L Z
E R S M O O M B R D I S P L I N T E R K
S H C X F D X Z S D R M Q T F B I R N H
V F A H T O N P H T U G X C Q Q K T N P
X L P A C O C A R R V H T Q U A R T E R
D Y G L I U C R E M L B F A V A G T D X
J N R T W D H T D F R A G M E N T O H T
P J C V G F U C C H I P A J B T H U W T
G E S P X Z N H S S T A N M D H L W R C
S S L V I Q K A O U E F K J M I P M M Z
O T I U K E M A I M B G I B M R W O P H
K H C J P D C C A E B D M Q G D O C A S
E N E A F D B E Y M Y H I E L L Z U U X
H W R J D K Z K U V H A U V N Y J T U D
A C B R S H A R E B B L T W I T O Y A P
S X Y B I X C V G F I F R S Q S I C P T
X W O W G I Z G S E C T O R O J I R H D
O W C P L Z N N I L I O Q A E M Z O C U
T A Q E L E M E N T H W X P W E E Z N O
M D C F R A C T I O N I F R T F F H N R
```

CHIPS WITH EVERYTHING

- BIT
- CHIP
- CHUNK
- CRUMB
- CUT
- ELEMENT
- FRACTION
- FRAGMENT
- HALF
- PART
- PIECE
- PORTION
- QUARTER
- SCRAP
- SECTION
- SECTOR
- SEGMENT
- SHARE
- SHRED
- SLICE
- SOME
- SPLINTER
- SUBDIVISION
- THIRD

```
M L Q M C O B U F V E T Q S L D R A G S
Q N I B B D S I Y C M Q M T W X D E N Q
S E A S E Q E D N S S T F O N S Y A G P
H M Z G A H I A B N K A K M J T N A W H
O K Y A Y P R L H E Q F Q P B A R G E A
V U X R J P Z S L A S T U M B L E I A S
E R R X N R A D N K Y L P R J K M A T T
A U A P L R T Z P A L G G B U A E L A E
H P T A C H A T M A R C H Q N S Y H U N
B X G Q G S R Q I P L U N G E A H O T R
P E R F F E R C M P L E N Q P N F P I O
N Z B G U L Y U C F T J A T Q S K Q M C
G Q R S A T M E V L W O Y C H A R G E N
H A R A M L L X P O A D E E Y O P Q U Y
L U P C M T L S S A M S L L C M L R W S
P I X Y S B Z O N T S B L J A O K R P X
O F M U X S L D P L M L U R C H J C B L
U T H P U S H E Y U N F T J O G A Y B T
V R E T R E A T B A S J S F U M B L E E
T H P K W W A N D E R M S T R A Y Z B J
```

MAKE A MOVE

- BARGE
- BUMBLE
- CHARGE
- CRASH
- DRAG
- EASE
- FLOAT
- FUMBLE
- GALLOP
- HASTEN
- HOP
- HURRY
- HUSTLE
- JOG
- LIMP
- LURCH
- MARCH
- PLUNGE
- PRANCE
- PURSUE
- PUSH
- RAMBLE
- RETREAT
- RUN
- RUSH
- SHOVE
- SNEAK
- STALK
- STOMP
- STRAY
- STUMBLE
- TARRY
- TIPTOE
- TRAMP
- WANDER

```
P  K  E  A  N  N  A  P  R  P  K  R  D  A  M  A  N  I  K  P
U  O  A  Q  U  A  R  T  E  R  Z  E  X  Z  L  O  T  Y  D  E
M  R  G  W  S  P  Y  A  B  U  W  A  R  G  L  V  M  E  O  N
A  U  L  K  W  K  S  Y  Y  T  A  L  G  N  R  L  Q  I  L  N
U  N  E  X  V  U  H  O  C  A  M  V  U  A  I  E  U  L  L  Y
R  A  S  O  C  O  E  C  H  H  P  J  I  O  A  C  W  C  A  L
E  L  S  P  O  F  K  Y  O  C  U  Y  N  J  Y  C  K  T  R  U
U  N  R  O  N  L  E  T  N  E  M  E  E  I  Q  Z  D  E  D  E
S  E  C  U  T  O  L  P  V  D  L  L  A  J  G  W  R  Y  L  U
D  L  O  N  O  R  S  Z  E  B  H  X  I  J  Z  D  A  V  S  B
E  E  R  D  X  I  Q  T  U  S  Y  K  S  R  W  T  C  E  R  G
N  M  D  W  K  N  C  R  A  L  E  G  E  U  A  A  H  K  I  F
A  P  O  G  F  M  O  R  L  L  I  T  R  C  C  M  M  G  H  A
R  I  B  T  R  Q  H  X  O  L  E  Z  A  E  Y  R  A  J  P  R
I  R  A  J  F  O  E  J  N  W  W  N  Q  N  E  J  E  H  P  G
U  A  B  O  H  M  S  S  K  C  N  W  T  T  M  N  S  J  E  E
S  T  I  C  A  L  B  E  C  U  O  R  O  A  L  Z  B  O  L  N
I  O  B  O  L  I  B  G  F  U  R  L  M  V  F  D  S  A  F  T
W  V  M  B  F  G  O  L  D  A  D  U  O  O  Y  E  V  K  C  F
L  E  P  T  A  X  Z  N  J  W  A  O  S  N  P  C  F  B  G  K
```

IT'S ONLY MONEY

- AMANI
- ANNA
- ARGENT
- AUREUS
- CENTAVO
- CHON
- COLON
- CONTO
- CORDOBA
- CROWN
- DENARIUS
- DOLLAR
- DRACHMA
- EAGLE
- ESCUDO
- FLORIN
- GOLD
- GREENBACK
- GROS
- GUINEA
- KORUNA
- KURUS
- LEMPIRA
- LEPTA
- LIRA
- LUCRE
- MILL
- NICKEL
- OBOLI
- PELF
- PENNY
- PESETA
- PESO
- POUND
- PRUTAH
- PYA
- QUARTER
- REAL
- RUBLE
- SHEKELS
- SUCRE
- TALENT
- TICAL
- WAMPUM
- ZLOTY

```
P J P Z E P L A N G U A G E S A K T A L
J I F F U U T N A N O S N O C C O U Q A
K F T N S P I L F Y C Y N Q I G R G R T
R G F C W I N D P I P E V V G G N G P O
G R Z M H X U G A E N U M M O C U I I N
A Q S T F S G N U L E Y D G X E R K S G
X F I S D W P S J S H C E E P S A L T U
P O Z B A V R A O H L L E T O E U O N E
L R O D E B E L O U F W D U P J N V Y E
I A Q T P T E H A N N Z A S Y A R E W X
A T O A O T A Z T R R D E Q L O B N V P
T E L F A B T L L A Y E R U W H A O O R
E I Z R W S E V E A E N T O W S Q T I E
D X B H T G S O O R C R X T A M E O C S
C I I R N S H O U T C O B L U L D N E S
V N A A T H H R U W O R V K K T S O P V
E I H Q U O I K Q O R V O W E L S M R V
N C T Q R H N G T H D F G S D R O W I W
U S A W D D Q L H K S V K O P E N I N G
H M U R E Q A S I T I G N Y R A L H T Z
```

SPEAK UP

- ALTO
- ARGUE
- BASS
- BREATHE
- CHANGE
- COMMUNE
- CONSONANT
- CORDS
- DETAIL
- EXPRESS
- HIGH
- LANGUAGES
- LARYNGITIS
- LARYNX
- LIPS
- LUNGS
- MONOTONE
- NASAL
- OPENING
- ORATE
- PITCH
- READ
- RELATE
- SHOUT
- SING
- SOUND
- SPEECH
- SPEAK
- STRAIN
- STUTTER
- TONAL
- TELL
- TONGUE
- VIBRATE
- VOCAL
- VOICEPRINT
- VOWELS
- WHINE
- WINDPIPE
- WORDS

```
R  G  I  D  G  S  E  K  Q  B  G  A  E  C  R  W  X  J  A  A
Y  U  Q  B  K  L  R  M  C  M  I  J  F  F  U  B  L  J  J  L
A  A  P  A  D  A  M  D  U  A  E  W  K  F  E  D  K  K  F  B
L  H  T  R  H  P  C  O  I  H  R  I  K  R  T  L  X  C  K  O
E  E  U  B  K  X  J  R  L  S  T  T  D  E  A  L  O  H  V  X
R  H  Y  O  Y  E  Z  Z  O  A  C  U  U  Y  M  A  P  A  D  E
Q  E  E  R  U  N  J  T  P  B  L  U  U  A  A  B  R  L  Z  R
W  C  K  P  D  K  Z  B  V  B  A  S  S  L  L  T  O  L  S  L
F  V  C  A  S  A  J  Y  F  J  Y  T  Z  P  D  E  F  E  B  P
I  L  O  J  X  H  F  F  O  O  T  B  A  L  L  K  E  N  J  T
H  Y  H  X  S  Y  O  L  L  A  B  E  S  A  B  S  S  G  Y  S
R  E  C  N  E  F  N  T  E  L  T  S  E  R  W  A  S  E  A  I
O  K  Y  R  T  F  L  N  Q  B  M  G  R  K  R  B  I  K  W  N
L  U  E  E  S  J  V  X  O  L  L  O  G  L  E  W  O  V  D  N
O  B  K  I  A  E  X  I  D  I  V  L  A  W  C  C  N  U  O  E
P  C  C  K  N  E  S  T  O  V  P  F  U  O  C  A  A  M  F  T
L  I  O  S  M  A  U  W  D  X  F  M  P  B  O  E  L  C  K  I
D  P  J  F  Y  M  T  B  I  N  V  V  A  B  S  Y  A  V  N  V
Q  N  H  W  G  Y  Q  W  T  M  T  T  Z  H  S  P  O  R  T  S
J  Y  B  J  A  V  E  L  I  N  J  U  M  P  C  T  G  F  J  M
```

ALL SPORTS

- ACROBAT
- AMATEUR
- BASEBALL
- BASKETBALL
- BOWL
- BOXER
- CHALLENGE
- CHAMPION
- DISCUS
- FENCER
- FOOTBALL
- GOLF
- GYMNAST
- HOCKEY
- HURDLE
- JAVELIN
- JOCKEY
- JUMP
- PLAYER
- POLO
- PROFESSIONAL
- RELAY
- RUN
- SHOT
- SKATE
- SKIER
- SLALOM
- SOCCER
- SPORTS
- SWIM
- TENNIS
- TRACK
- WRESTLE

HENNA

Solutions

Page 3

```
                              _ M G U I N E A
N _ D L I B Y A _ _ _ P _ _ A _ _
_ E _ O _ _ _ _ _ _ _ O I G L _ _
C _ P _ M T T Z A I R E A L R U T _ _
_ Y _ A I I U _ B _ U _ R A A A A _
_ _ P A L _ N _ _ O A G _ U N N M _
_ _ W R A _ I I _ _ R L _ A _ B D _
_ U _ Y U _ S _ C R _ I _ N _ A _ _
K _ N _ _ S I _ O A _ _ V _ D _ _ _
_ E _ _ _ _ _ A D F R A N C E I _ A _
K S _ _ _ N S P A I N _ _ T A H I T I
_ _ U _ A _ _ E _ _ _ _ _ _ _ _ _ _
_ _ R _ _ M _ G _ _ _ H A I T I _ _
I R A Q I _ O D Y _ _ H U N G A R Y _ _
C _ _ _ N N _ P _ G H A N A _ _ _ _
U _ _ _ A A _ T C A _ _ _ _ _ I _ C
B A _ _ L _ C M _ M H _ _ _ T O N G A H
_ _ _ R _ _ E _ O _ R _ I T A L Y D _ I
_ I _ _ _ _ B B R A Z I L A _ _ A _ _ E
```

Page 5

```
C E N T _ A _ _ C E N T A V O O _ _ _ _
_ _ _ _ O _ _ _ _ _ E L G N D _ K _ _ D
_ _ _ B _ _ _ _ E A N A U _ C _ _ A O
_ _ _ L M L I R A P I I U C _ E _ R T G L
_ A V A _ _ _ U R L Y S _ P _ A E N _ L
B E _ R _ _ R _ L C E _ O _ V S I _ _ A R
L _ K _ _ _ I _ O K _ I E H _ _ _ _ _ R
_ _ _ K D _ H _ R _ L P T _ B A H T
_ P _ A I S _ _ _ D _ O _ R I
_ _ O C _ M _ _ _ O B _ A _ M A _ _
F U E _ E K G _ _ B _ F _ A _ S _ _
L N N C G _ R U _ A _ A _ R _ _ T C
O D T R _ U _ O I _ G _ _ K _ N E
R _ I O _ _ I _ N L _ _ _ _ A _ _ R
I _ M W _ _ N E A D _ Q U A R T E R P
N _ E N _ _ B E _ _ E _ _ F _ _ D _ E
_ _ _ _ _ _ A _ R _ _ _ I _ N _
_ _ _ _ _ S I X P E N C E _ _ _ N N
_ D R A C H M A E _ _ _ _ A _ Y
_ _ _ _ _ _ _ _ _ _ _ Y _ _ _ _ R _
```

Page 7

```
_ _ _ M A R I G O L D C _ _ L U P I N A
_ _ P I N K S _ _ A _ _ _ M _ E C
_ _ V E R B E N A R _ N _ _ O P _ H
_ _ _ _ _ _ _ O A N _ _ T S _ S Y
L A R K S P U R S S S A _ _ E S _ S Y
A _ _ L D _ _ E E T _ S E I _ _ P S
V _ _ I A _ _ D S E _ A W R _ _ A E A
N _ L I P _ _ U _ R I S I _ _ N O N
_ _ Y S A L P M _ L G _ I V Y _ E N T
D P _ O Y N I _ H H _ L _ _ _ M Y H
E O _ F _ S L _ A L _ _ A Y _ _ O _ E
R P Z T _ Y Y D _ _ O _ _ L D A _ N _ M
P I H _ _ _ _ _ X _ Y _ I R E _ U
_ Y N E C A R N A T I O N T _ _ O R _ M
_ _ N V _ _ C O L E U S H _ _ V L O _
_ _ I A L Y S S U M _ _ _ R _ _ I _ A W
_ _ A L _ _ _ _ _ _ _ U _ O _ _ _
_ _ L P R I M R O S E _ M _ L _ _ _
_ _ _ E _ _ _ B A L S A M _ _ E _ _
_ _ _ Y _ _ _ C O S M O S _ _ T
```

Page 9

```
_ _ _ C E A S E _ _ _ S S _ _ _ _ R _
_ _ _ E X C L U D E K _ _ H _ _ A _ _
_ _ _ _ _ _ _ _ C _ _ _ U B _ _ E
_ _ B A L K _ _ O O E S N U B S T D R _
I _ H I N D E R _ _ U _ D _ O N _ _ R
L _ _ _ V _ _ _ D _ _ _ V G T _ _ R E
L _ C O N D E M N _ E _ _ A I _ A _ P F
I _ _ _ S _ _ _ _ _ _ _ _ F B D R U
C _ _ P D O D G E _ _ E _ _ O O E O S
I B _ _ U _ B A N I S H V _ _ R O N H E
T L _ B R _ E S C H E W E S _ B _ O I _
E O _ N _ _ _ _ _ E W R U _ I _ U B
V C _ R _ _ _ N R A L R S _ D _ N I _
I K A R _ _ _ U U L A _ E P C _ _ C T
C _ V I _ _ H S T G _ _ B E E _ _ E Y _
T _ E C _ S N U E _ _ _ E N N _ _ N _ P
_ R A _ E O L _ _ _ L D S _ E _ O _
_ _ T D C _ L _ _ B O L T _ O D _ T _
_ _ _ E _ I _ C U R S E _ _ R _ S _ _
```

Page 11

```
_ _ _ _ C H E E K Y _ _ P _ _ _ _
D I S R E S P E C T F U L E _ _ _ _
_ _ _ _ _ _ Y F _ U _ B _ _ R _ _ E
_ _ _ _ T _ L _ C R _ O _ _ T _ D _
_ _ _ H _ _ I _ A _ T _ L _ _ _ U _
_ _ G N _ _ P _ V _ _ _ D T R _ _ _
_ _ U _ E _ _ P _ A _ _ _ N _ _ _ _
_ A _ _ R _ _ A _ L _ B E S U R L Y
H _ _ V _ _ Y _ N _ I _ _ _ _ D _ I
_ _ Y _ _ T _ E _ E A _ _ R S _ N _
_ _ _ _ S _ _ _ R V _ Z _ A G A _ S
_ _ _ _ _ S _ _ E _ _ E W N _ U _ O
_ _ _ A _ _ _ R _ _ N R I _ _ C _ L
_ _ _ _ _ _ _ R _ _ O H _ _ Y _ E _
_ _ B _ _ _ I _ _ _ F S _ _ _ _ N _
I M P E R T I N E N T U _ _ _ _ _ T
_ _ _ _ _ _ _ S U P E R C I L I O U S
_ _ _ _ _ _ A B U S I V E _ _ _ _ _
_ _ _ _ _ _ _ S C O R N F U L _ _ _
```

Page 13

```
B R I E F _ _ _ _ P B _ _ _ _ E _ T _
_ _ _ _ _ _ _ R A _ _ T _ _ S _ A _
B _ C H A M B E R S O R _ U T _ E _ _ C
A _ _ _ _ _ T _ Y _ O T _ _ R _ _ Q
I Q _ _ _ R _ R _ _ A F _ R _ I _ U
L U _ _ U _ U _ _ T F _ A _ _ A _ I T
_ E _ O _ J _ J S _ O _ _ _ _ _ L T
_ S C _ R _ A _ U _ _ R E V I E W _ A
_ T _ E _ _ R D _ E L A W Y E R _ A L
D I P _ _ G _ _ M P L E A D _ _ _ _
O O _ _ _ E U _ A _ _ _ B E N C H
C N _ _ C I V I L M N _ _ _ _ _ _ _
K A _ C I R C U I T _ E _ _ _ K _ L
E T O P I N I O N _ O _ N H _ R _ A _
T T _ _ _ _ _ _ F T T E _ E _ E _
_ O _ V E N U E _ _ A F L _ P _ S _
_ R _ _ _ J U R Y _ O _ C I P _ _ A _
_ N _ _ L A W S _ _ _ _ A C _ C _
_ E _ C A L E N D A R _ _ _ _ E _ _
_ Y _ _ _ _ W A R R A N T _ _ _ _ R _
```

Page 15

```
P C O M P E T E _ _ _ _ W A T E R
_ R _ _ _ _ _ _ _ B U T T E R F L Y
_ _ O _ E V E N T _ _ _ W _ _ _ _ _
_ _ B N F R E E S T Y L E _ _ I Y _ _ S
_ A E _ _ _ L F R O G _ T S _ _ I
_ S C _ _ S _ E T C _ E _ T D _
_ _ L T K M _ _ R G _ R F _ _ _ S E
_ O _ _ R S _ A _ S A A _ R _ _ _
_ _ _ A _ O T _ _ S _ _ W E _ _
P _ D _ _ S K R B R E A T H L _ _ _
_ _ I _ _ _ E O _ _ _ _ A _ _ O R
S P _ D _ V _ _ _ K _ _ S Y _ R E _
C A _ I _ _ I _ _ _ E _ N _ T T D _
I D _ V _ _ _ N P F _ _ N _ T _ O _
S D _ E _ _ M G _ L U _ _ O U _ _ L _
S L L A N E U _ _ _ T O _ C L _ _ P _
O E _ _ _ J _ _ R A C E A F _ _ H K _
R _ _ F L O P _ _ _ _ _ T _ _ _ I I _
S M E E T S _ _ L A P S _ _ _ _ _ N C _
_ T E C H N I Q U E _ _ _ T R E A D _ K
```

Page 17

```
_ _ _ _ _ M _ C L A V I C L E P _ S _
_ _ _ _ R U M _ F C O S T A L _ A O P S
_ _ _ E I U _ _ I R I B C A G E R C H T
_ M N I _ _ E B _ R A D I U S I C E I
_ O A L _ _ N _ U _ _ _ _ _ E I N R
V R I A R I _ A L _ _ _ _ _ T P O R
C _ N U P _ L _ A _ C O C C Y X A I I U
_ L M S _ L _ _ _ _ _ _ _ _ L T D P
U E _ _ E _ _ _ _ _ _ _ _ A _ _ _
F _ T _ _ A _ B O N E _ _ _ L _ _
T M A S _ _ L _ A _ V S T I B I A _ _
E P E _ C T _ _ X _ E S K _ _ _ _
M F P T A A _ I _ _ R K _ E _ _ _ _
P R _ E A H P _ S _ _ T U _ _ L _ S _
O O _ _ L C U U _ _ E L _ _ _ E _ _
R N _ _ V A M L _ _ B L _ _ P _ T _
A T _ _ _ I R E A _ R _ _ _ A _ _ A _
L A _ _ _ _ S P R _ A _ T _ _ _ _ L _
_ L _ _ N A S A L A U E S _ _ _ _ _ _
_ M E T A T A R S A L S _ _ _ _ _ _
```

Page 19

```
_ _ _ _ _ _ _ _ L _ _ _ S L I D E _
W _ L E A P A _ _ E _ L _ _ _ _ _ _ _
A _ _ _ _ _ _ M V _ _ O _ _ _ _ _ _ _
L _ _ _ _ _ _ A B _ R _ P _ _ J _ _ _
K _ _ _ R D _ L _ U _ _ E _ U S _ _ _
_ _ _ T _ _ A _ E N _ _ _ M _ T _ _ _
_ _ _ _ _ _ N _ _ E _ _ _ _ O _ _ _ _
_ _ _ _ _ _ _ C L _ _ _ _ _ _ M _ _ _
_ S _ T O D D L E D E _ E _ _ _ P _ _
_ T _ _ _ _ D E _ C _ S K A T E _ _ _
_ R _ _ C _ _ A C _ A _ _ _ _ _ _ _ _
_ I _ _ L _ W N _ R _ _ _ _ Z _ _ _ _
_ D _ _ O _ U _ _ _ _ _ T _ _ _ _ _ _
_ E _ _ G O _ P _ _ G _ T L G L I D E
_ _ _ _ B _ _ E O _ _ A R _ _ _ _ _ _
_ _ _ _ A _ _ D J _ W _ A _ _ _ _ _ _
_ _ _ _ L _ _ A _ _ _ _ _ _ M _ _ _ _
_ _ U _ B A L L E T _ _ _ _ _ P _ _ _
_ H _ _ _ _ _ _ _ _ _ _ _ _ _ _ _ _ _
```

Page 21

```
_ _ _ _ _ _ _ A R L A N D A _ _ _ _ _
_ _ D O R V A L F I U M I C I N O _ Y
_ _ _ Z _ _ H _ D U S S E L D O R F L
_ _ U R _ _ O _ _ C _ _ _ _ _ R _ F _
_ _ R I _ S _ N _ A _ _ _ _ O _ _ R _
_ _ _ I _ _ A G _ I A T L A N T A A _
M U N C H E N _ N _ K R _ _ _ _ S N _
_ H _ _ L _ _ F _ O _ _ B _ _ H K _ _
_ _ _ _ O _ _ R I N _ A _ L E F _ _ _
_ S _ _ _ _ S _ M A _ G _ R _ I R U _
_ H C _ _ _ S A _ K N _ _ A _ N E R _
B E N _ H _ _ I I N D A C _ J _ A M T
A A A _ _ W _ M _ N G E S I A _ T E M
N T T O _ _ E _ _ G E G T S _ E T A _
G H I S _ _ C _ _ A L A R C _ I I _ _
K R O A _ _ _ H O _ _ P E U U O E N _
O O N K _ _ _ Y A _ _ O S L P V _ _ _
K W A A _ _ K _ T _ _ _ R _ L O _ _ _
_ _ L _ _ O _ _ T O R O N T O E _ E _
_ _ _ T _ _ _ _ _ B R U X E L L E S
```

Page 23

```
_ _ F S M O N G R E L _ _ _ _ _ _ _ P
_ _ I M P _ C O L L I E _ C _ _ _ _ I
L _ N A _ A _ U N _ G R E A T D A N E N
E _ I R _ _ N R R _ _ _ R _ _ _ _ _ S
A _ C K _ A I _ _ _ _ E C A I R N C _
S _ K S _ E _ P E K I N G E S E _ _ H
H _ Y _ L _ _ R L M E X I C A N _ A E
_ _ _ _ A _ _ _ _ A F G H A N N R _ _
_ _ _ B _ S C O T T I E _ _ _ C T _ _
S P I T Z _ _ _ _ B I T E _ _ E A _ _
_ _ _ _ A L S A T I A N _ P _ _ S I _
_ _ D B L O O D H O U N D S U _ T L _
_ E _ _ _ G _ _ _ _ _ _ G _ R B _ _ _
_ H _ _ _ U _ _ _ _ _ _ _ _ Y E _ _ _
S _ _ H O U N D I _ N A M E _ _ E H _
_ P O M E R A N I A N D _ B E A G L E A
_ S H O R T H A I R E D E _ _ _ _ _ V _
_ A L A S K A N T R I C K S _ _ _ _ E _
B R E E D _ _ _ _ _ C H I H U A H U A _
_ L I T T E R I R I S H S E T T E R _
```

Page 25

```
_ S _ _ S _ T _ _ _ M _ _ U R A L _ _
_ A _ R E _ I _ _ A A T _ _ P R U T _
_ O _ H V _ B _ _ I _ R H S _ _ _ _ _
_ N _ O E _ E _ _ S M _ N A P _ _ _ _
_ E _ N R S R _ _ N E _ _ E M R _ _ _
_ _ T E N E _ A D I G E U _ _ _ E E _
_ R W _ _ I _ _ _ _ S _ _ _ _ _ S E _
_ U E _ _ N L O I R E _ E _ A V O N _
V B E _ _ E _ V I S T U L A _ _ _ L _
O I D _ _ _ _ _ _ _ C _ _ _ _ I D _ _
L C _ _ M _ _ R H I N E L _ _ F E _ _
G O _ _ A A _ _ E O _ _ _ Y _ R F R _
A N _ T _ L I N N _ N _ N _ D H _ E W
_ _ _ A _ M N N _ A _ _ U E _ Y E _ _
_ D G _ O A _ M _ _ R E _ _ _ _ N T _
_ N S U _ R H _ M E R S E Y V _ _ _ T
_ E O S A S _ N _ _ N _ A D A N U B E
_ S M G H U M B E R R _ I _ E B R O _
_ T M _ _ _ _ _ O _ P _ T R E N T _ _
R E _ _ _ _ T _ _ _ D V I N A _
```

Page 27

```
_ _ M A N D Y E _ _ _ _ R _ _ S T _ _ _
_ _ _ _ _ _ M _ _ _ _ _ A _ _ D E A _ _
_ _ _ _ _ P _ Y S I N G N N S X _ _ _
_ _ B L _ _ A _ L _ _ E I _ H I _ _ _
_ _ E _ _ W _ _ N G I G _ _ I _ M _ _
_ H T _ Y _ _ I E R A _ _ _ P _ J I C
_ E H M _ _ M P F M _ _ _ S B A R A
_ G _ _ E L _ I L U C I L L E N A N
_ _ O T E _ _ S _ _ _ _ _ _ N E C D
D _ H _ E G _ M _ A H _ _ E _ _ _ L I
A _ O L N _ _ Y E _ M U R _ _ _ E D
N _ N A _ _ _ I L _ I R _ _ _ _ S A
I _ E _ _ _ S _ O F _ E T _ L A D Y
E A S _ _ _ O _ _ V _ I D O I T _ _
L N T _ _ J H I H I H I E G _ _ A _ _
_ G Y Y H O T L E G S _ H _ _ Y _ _
_ I J _ O _ _ _ _ T _ O A _ _ _ _
_ E _ E Y _ _ _ _ E D _ _ B _ _ _
_ _ _ T _ O _ B A B E E _ _ _ C _
_ _ _ _ _ _ _ _ _ _ _ N _ _ _ _ _
```

Page 29

```
_ _ F O R G I V E N E S S _ R _ _ _ _
_ _ _ K _ _ _ _ _ _ _ _ E M E D A L
_ _ N _ _ M _ _ _ E C _ H _ _ _
_ _ I _ _ _ H O M E R H O P U _ _ T
_ R S M I L E _ _ N O _ A G R G _ S _
_ D _ _ _ F _ _ C E _ N N O _ E _ _
_ R _ _ _ D R _ S _ _ Y D I M T _ R _
_ E _ _ O _ E Y _ E _ _ T O _ L I _
_ T _ W O _ _ H E T S _ _ I T _ E D K
G I H F A _ Q P _ S D _ P _ O I _ C E I
R T _ A _ R O U A _ _ O _ E N O _ T _ S
A L V _ N R D T I _ _ M _ E N _ U _ S
D E E _ T K B _ G Z A E _ _ _ C _ E _
E _ R _ _ T S L _ I C W _ _ D _ H E _ E
_ D _ _ _ I _ O I F _ A R _ _ _ A _ _
_ I _ _ _ K M V O _ T A R _ _ _ A _ _
_ C _ _ L _ D E _ D C _ _ D _ C _ _
_ _ T _ A _ A B A T H _ _ P R E S E N T
_ _ T _ _ _ _ I N F O R M A T I O N _
_ _ _ S E R M O N _ R A I S E _ L O V E
```

Page 31

```
_ _ _ _ L _ _ _ _ D E B G N I D D A P
_ _ _ _ L _ B A L M _ S S O M _ _ _ _
_ _ H S U M A _ _ _ F H _ _ L _ _ _
L Q U I L T V M _ D _ U A P L U P I _ _
_ O K I T T E N A O R I _ _ _ N _ _ _
_ _ V _ _ _ L _ _ V R _ C U R L S T _ _
_ N E G _ V _ E _ S R E H T A E F E _
_ O _ U _ E _ N _ P I L L O W _ _ L _
_ _ I _ R P T _ W R E D I E Y N N U B
F _ H _ O _ _ O _ R S H _ _ _ P P B
L A S _ _ W T _ D _ O I S _ _ U M U
O R U _ _ D _ E _ _ S L R R _ _ F A B
S O C _ _ E Y S K _ E K A E _ _ F W A
S G _ _ _ R P P _ N _ S S M T _ _ S I
_ N _ _ F C P O _ A _ _ N A L W _ _ R
_ A _ U A L U N _ _ L _ O W U O _ _ _
_ _ _ Z R U _ P G _ _ B T _ S O _ _ _
_ Z P M _ _ _ E _ _ _ _ _ T _ H L _ _
_ E E _ C O M F O R T E R O _ S D U S _
T _ _ _ N A P _ _ _ _ _ _ C _ _ _ _
```

Page 33

```
_ F A T E _ L O T T E R Y F C H A N C E
_ R A B B I T S F O O T G L F _ _ _ _
_ _ B E T S P C H A R M A U _ R _ _ _
_ _ _ _ _ E _ O B _ _ M K _ M I _ _ _
O M E N W _ L _ T I _ _ B E _ _ A D _ _
_ H _ D _ A _ V _ I N _ L S M _ _ G A _
_ E F _ R _ G _ E _ O G E _ _ O _ I Y
_ A A W S E J E _ S _ N O _ _ O _ _ C
_ D I _ I T A A R _ W A N T _ _ N _ A
H S R R _ S A M C _ _ T H I R T E E N R
O S I _ A _ H K S K _ _ _ _ _ _ _ D S
R H E _ V _ _ E H P M A S C O T _ _ S
S A S _ _ E _ _ O _ O _ _ _ E _ _ S _
E M M J I N X N _ P _ _ T R N _ _ R E _
S R I _ _ _ E _ _ E U _ E A L D _ _ _
H O R T A L I S M A N D T _ T T F _ I P
O C R _ R _ _ _ D R _ N S F _ _ C A _
E K O _ O _ _ A O _ A _ A _ _ E L _
_ R _ _ O _ _ L F _ _ R _ _ _ L M _
_ O D D S K _ _ _ C L O V E R _ _ _ _ S
```

Page 35

```
_ _ _ _ _ I M A G E _ _ _ M O D E L
_ _ _ C S _ _ _ D I S P L A Y _ _ _
S A P A _ _ A K _ P R I C E L E S S _ _
U R A C R _ N E R E A L I S T I C _ _
R T P R A _ R _ V T S M O C K _ _ _ S
F I E Y R _ _ E _ A C _ P O R T R A Y U
A S R L E _ _ _ N _ S H E _ _ P W _ _ B
C T P I G M E N T D R _ X _ A _ _ _ J
E _ _ C S T A I N U E _ H _ R L M _ _ E
_ _ _ _ _ _ _ O P _ R I D _ E U _ _ C
_ _ P A S T E L _ _ I _ B _ _ T R _ _ T
E S _ _ _ _ O D I _ C I _ T A _ _ S
X T E _ _ C _ E G _ T _ _ E L _ L
P I F A _ _ _ P H _ _ U M _ _ I L L
R N _ R S _ _ E _ I T _ A R _ O E I Y
E T _ _ E C _ D _ _ C R _ E S A L _
S _ _ _ _ S A _ _ F T _ _ A T P V _
S C L O T H C P V I V I D _ E E P _ I _
_ _ _ _ _ S _ _ O E _ _ _ _ D A _ E _
_ _ _ _ _ _ A B S T R A C T _ _ _ W _
```

Page 37

```
V I C K I F R E D E R I C K _ _ _ _ _ _
_ _ _ _ _ _ A U D R E Y L A N D E R S _ _
_ C A M E R O N E N G L I S H _ _ _ L
_ _ _ S _ _ _ _ _ _ A U D I T I O N _ _ E
_ _ _ U _ _ _ C A S S I E _ _ _ _ T
_ _ _ _ R _ A T T H E B A L L E T _ M
O _ _ _ _ P _ T _ A L Y S O N R E E D E _
N H _ _ I R _ E _ _ _ _ _ _ _ S D
E O _ G _ H _ I _ N _ _ _ S _ K _ A
_ P _ R _ O _ S _ _ _ _ T O _ _ N
E _ E I P J _ E _ N _ O A _ _ C
F _ G C E A _ Z _ S _ O L _ G _ E
U _ G A I N _ A _ _ U _ _ T _ _ F O
_ L M B N G E _ C _ T H R E E H _ _ R
S U U D E T _ H _ _ _ P _ _ I _ R Y
_ _ S R O T J _ _ _ _ _ R _ _ N _ _
_ I K T I O _ _ D A N C E _ I _ G O U
_ _ C E H T N C H O R U S _ _ S _ _ U
_ A _ A E _ _ _ _ _ _ _ _ E _ _
_ L _ T _ S N I C O L E F O S S E _ _
```

Page 39

```
_ _ _ R _ _ _ Q U O T E _ D _ _ _
_ _ _ _ E _ _ _ _ _ W N _ D R A W L
_ _ _ _ _ P S N E E R O A S N I C K E R
S T A T E _ L _ _ _ L M M G R O W L _
B O O M _ _ R Y _ L E I M U Q U E R Y _
Q G _ _ _ E _ E D S _ N U T J E E R C
_ U I _ _ M B _ _ O H _ Q M T _ _ W H
_ _ I G _ _ A _ Y A _ P O _ U B E _ H O
_ B _ P G _ R _ E _ R _ I U _ I L R I R
_ _ A R _ L K _ L _ G _ N T _ R E S T
E _ C R O _ E _ L _ _ U _ E _ M E P L
X _ O _ K A _ _ _ _ _ E _ _ U X E E
C S M _ _ _ R _ _ S T A M M E R R P R
L U P _ _ _ _ _ G U F F A W _ M L _
A G L _ _ G L A U G H _ _ I _ _ U A _
I G A _ B R _ _ _ M O A N _ N _ R I _
M E I _ L O M U S E _ _ _ L _ S _ N _ G
_ S N _ U A _ _ S N A P L _ _ _ I _ _ A
_ T _ _ R N _ R E P E A T _ _ _ _ _ S _ S
S T U T T E R _ _ _ C _ _ G R U N T T P
```

Page 41

```
_ _ _ S P I R I T U A L _ _ R O U N D _
_ _ _ _ _ S H A N T Y A R I A _ _ _ E _
A N T I P H O N _ _ _ _ _ _ E D E O
_ _ C H O R A L E _ _ _ _ _ M U R T
O P E R A C H A N S O N _ _ E T U R O _
_ _ _ _ _ A _ E G _ E H E T E D _
D I R G E T _ N N _ D T E R C N _
_ _ _ _ A _ U O _ U _ D E N O _
_ _ _ T _ T S H _ L _ U V O R _ _
_ N N _ K C _ E _ L O C _ _ L Y R I C
_ A M _ L R _ R _ T O C C A T A _ _ V H
C Y _ O A C P _ S C H O R U S S _ V E H
H _ F M _ _ H O _ _ _ F _ U O O Q A
_ _ _ E M P A _ _ _ _ A G I R L U P
_ _ _ L A _ N _ _ T N _ T A U I S
_ _ _ _ O S _ T _ A O F F E T N E O
_ B A L L A D S _ N S _ A U _ O T M D
_ _ _ _ _ _ Y O _ _ R G _ R A _ Y
_ A N T H E M _ S _ _ _ E U _ I R _ _
_ _ V A R I A T I O N _ _ E _ O Y _
```

```
P M A C H I N E _ F C D _ U _ _ _ _ _ _
A M _ _ N E W _ _ A O R B _ S _ _ _ _ A
T _ A _ _ _ _ T _ I M A U _ C E _ E _ _
E _ _ K _ R _ _ L P W I _ H _ S D B C _
N _ _ _ E A _ T _ _ U _ L E _ I _ R O _
T _ P _ S L A B _ _ Y E _ E _ _ G _ M P
_ E E _ _ _ _ I S B _ N S _ _ _ H A _ _
_ A U _ T _ _ U T E I _ T _ _ T _ _ T N
P K R _ _ I I _ K E A T G A D G E T _ Y
R _ E _ _ N N N _ R M _ T _ _ C _ D _ _
O _ K _ E _ I K B _ _ _ _ E B W _ O A _
T G A G _ H N _ E _ _ _ _ _ R O O O S _
O _ L _ T G I M P R O V E _ _ L R _ T _
Y _ _ U I _ _ _ _ _ S U C C E E D _ D K _
P _ E _ _ S E _ _ C O N C E P T _ _ _ _
E D _ _ _ P R O T E C T _ I N V E N T
_ _ _ S Y S T E M _ _ T I C K _ _ _ _ _
_ _ _ M E T H O D _ _ B U G S _ _ _ _ _
```

```
_ _ _ P I T A _ _ _ _ G A Z P A C H O _
_ _ _ _ _ _ _ _ _ T _ M O U S S E _ _ _
_ _ N _ _ _ _ _ _ _ _ O _ _ _ _ _ _ C _
_ A T O R T E _ _ _ _ R _ _ _ _ C R _ _
_ L C R O I S S A N T _ _ _ T _ _ H E _
F _ _ _ _ S A U E R K R A U T O _ _ L E
_ _ _ T _ _ _ B R I O C H E _ N L _ _ E
S _ _ E _ _ _ _ Y E T E R I Y A K I _ _
A F _ M _ _ R H _ _ _ T A C O _ _ _ _ _
S O _ P _ _ R C _ _ _ P I Z Z A S _ _ _
H N _ F U _ U I _ _ I _ _ _ _ _ _ U _ _
I D _ A R C U _ _ _ L _ _ _ O _ _ S W _
M U S L A Q _ _ O _ _ _ _ R L _ _ H O _
I E A A _ _ R I S O T T O Z A _ _ I N _
S _ R F _ _ V P P A T E S O S I _ _ T O
A _ M E _ _ A _ A _ _ O _ _ A S _ _ O N
M _ I L _ R _ _ _ E H _ _ G C _ _ _ _ _
O _ _ _ D I M S U M C L _ _ N A _ _ _ _
S _ T A B O U L I A _ _ L _ _ E S _ _ _
A _ _ _ _ _ N _ _ _ _ B O R S C H T _
```

```
W R I T E R S _ _ _ _ _ _ _ _ _ V _ B _
S F A M O U S _ F O O T P A T H I _ R _
T M U S E U M _ T _ _ V _ _ _ _ E _ O _
E V I L L A G E O _ P I _ _ _ W _ N H _
A _ _ _ _ _ _ S U _ A S _ _ _ _ _ T _ _
M C H A P E L T R _ R I C A F E _ R E _
T _ E M I L Y A I F S T _ _ _ _ O _ _ _
R H _ _ _ _ Y T S A O O _ _ W _ _ _ _ _
A I _ _ _ R Y I T M N R _ A _ H _ _ _ _
I _ _ S A R _ O _ I A S S H _ R G I _ _
N _ _ R T _ N _ P L G P H _ A U L _ _ _
_ _ B N _ O _ _ E Y E A O _ _ I I _ _ L
_ I U _ _ _ R _ _ _ R P _ L D _ _ _ _ _
L O _ _ _ _ _ Y N _ _ I S _ M W E _ _ W
_ C _ _ _ _ _ _ _ _ _ S _ K O A _ _ E A
_ F _ H _ _ _ _ _ _ _ H L _ O Y _ N _ L
_ A _ U S I S T E R S A _ _ R _ N _ _ K
_ R _ R _ _ _ _ _ _ _ _ _ _ _ _ _ _ _ S
_ M _ C V A U L T S _ C H A R L O T T E
_ _ _ H _ _ _ P U B _ _ _ _ _ _ _ _ _ _
```

```
F _ D _ _ _ _ _ _ _ W A T E R _ _ _ _ _
O _ A _ E _ _ S _ _ S _ L _ _ _ _ _ R _
R _ N _ _ M F _ _ _ O _ A H _ _ _ _ E _
E _ G _ _ O B C _ _ O _ R Y S _ _ _ S H
S _ E A O _ _ E H _ T _ M D M _ _ _ C A
T _ R R I _ _ _ R I _ _ R O _ _ _ K U T
L A M P S R _ C _ S M _ D A K _ S _ E S
P U M P _ _ C _ O _ _ N _ N E I P _ C R
S _ F _ _ _ _ R E U I _ E T R _ R _ H E
H O _ _ _ C S A W G _ _ Y B _ I _ E L
I _ A _ _ _ O O _ F _ H S _ R _ N S M A
N _ M _ _ _ H D _ U _ T E _ _ A _ K T I Y
G _ W O R K I H D R P _ _ V _ L E C I
L _ L _ _ R E A O A _ _ E _ E A A N
E S _ _ A _ T A R _ G _ _ _ _ R M L G
S _ _ _ D _ T I _ _ E _ _ _ _ _ _ S _
B U R N _ _ D _ N _ _ _ _ _ _ A X E S _
_ _ _ _ _ _ _ E G _ P A N I C _ _ _ _ _
_ _ _ D O O R S _ E N G I N E _ _ _
_ E X I T S _ _ _ _ C H O K E _ _ _ _
```

Page 51

```
M C R U M B _ _ _ B S P O T M _ _ _ _ _ _ _
O _ P _ _ _ Y _ I _ D _ O _ _ _ _ _ _ _ _
R A _ I _ N _ _ _ T _ O _ U _ _ _ _ _ _ _
S N _ _ N N M I C R O B E L _ _ _ S _ _ _
E I _ _ E T S C I N T I L L A _ _ _ E E _
L M D P _ _ A M O E B A _ _ _ J O T L _ _
_ L _ T I _ _ D O T T A S T E _ U G _ _ _
_ _ _ L O B _ _ _ _ C T C A _ _ _ A _ _ _
_ _ D I _ M L _ _ E E E R _ _ _ A _ _ _
_ _ A N _ _ E _ _ P P S G N A T _ N _ _ _
S S S E _ _ _ T S P N _ _ _ _ _ _ _ _ _
P M H _ _ D A B U I _ _ _ O _ _ P S _ _
R I _ _ _ _ P _ _ _ _ R _ E O _ N _ _
I D _ _ _ _ F R A G M E N T D R _ _ I _ _
N G S P L I N T E R _ _ _ A D _ _ _ C _
K E _ _ _ _ M I T E H C H I P _ K _ _ _
L N _ P A R T I C L E _ S _ F L Y _ _ _
E _ P E E P _ M O L E C U L E _ _ _ _
_ _ _ S I P _ E L E C T R O N _ _ _ _
```

Page 53

```
_ _ C A L L _ _ _ _ _ _ _ _ _ _ _
L _ _ _ _ _ _ B A L L E T _ _ _ _
C U _ D I N N E R _ _ _ S W I M _ _
_ O N D _ F I E S T A _ L F _ _ _
_ N E C _ _ _ _ _ _ L L _ _ _ _
_ E C _ H _ S _ E A O _ _ _ _ P
F _ E D _ V B G _ _ _ R _ _ O _
_ D _ R E T I _ O P E R A _ E _ T
_ A _ A T T R O _ B _ _ _ C L M D L U
R T C E _ D _ U _ _ N _ A U I U
E E F _ _ _ L P R _ A _ X S N C
_ C _ _ _ _ C W A L K D T E A P I E K
_ E F E S T I V A L _ A _ _ I C _
_ P _ _ _ _ _ W G A M E S Y _ _ C _
_ T _ _ O V I S I T _ _ P T N _ _
_ I _ H _ _ _ _ _ _ A _ I _ S
_ O _ S _ T R E A T _ H R _ C _ T _
_ N M E E T _ _ _ _ C _ T _ A G
_ _ _ _ B A R B E C U E _ _ Y _ _ G _
```

Page 55

```
C O P P E R _ _ W A R S A W _ Y _ N _
C H E M I C A L S _ _ _ _ S R _ O W _
_ _ _ _ _ _ R O D E R E E _ I _ H _
R _ _ _ _ W A R S _ L N R S _ W E _
V _ _ _ _ _ _ I I U A _ A _ A _
I _ _ K _ _ _ T H H V _ L K _ T _
S _ _ R _ _ X C P N _ L S _ _ _
T _ _ A _ E A L I _ A N C _ _
U _ _ K _ T M U N _ I A _ O _ _
L A _ O _ S A _ T D _ A _ L O D Z
A _ _ W _ M _ R G _ L _ _ _ _
_ _ _ R _ A _ _ _ _ _ _ _ _ _
_ _ _ E _ M _ S I L E S I A _ _ _
_ G _ _ _ C O M M U N I S M _
R E P U B L I C _ _ C E M E N T _
_ _ I R O N _ _ _ _ _ _ _ A _ _
_ _ _ _ _ _ S T E E L _ T _ _ _
_ L U B I N _ _ P O Z N A N _ _
P O M E R A N I A _ _ _ U _ _ _
S O L I D A R I T Y _ _ _ J R A D O M _
```

Page 57

```
I _ _ _ _ _ _ _ _ _ N I P _ _ P H _ D
T _ _ B I T P E A K Q U O T A G O U _ E
E T _ _ _ I N G R E D I E N T _ R R N R T
M I _ _ _ _ F R A G M E N T A T K A A _
_ T _ _ _ _ D O T _ _ _ _ N I _ T I
_ H E A R T _ _ N _ W H I T N U O _ I L
_ E _ E _ I O O _ _ _ O A L N _ O S
A _ _ L _ N I D _ _ _ I T _ E _ T N U
P _ _ E _ T _ D _ T O _ _ R F _ M
E X _ M C E S H _ M C I T _ A _ A _ M
X _ _ E _ G C _ A A E _ R P _ _ C S I
_ X _ S N S R I _ R L _ N L _ I _ _ T E T
_ _ T M A N F _ _ F E T _ B F _ O G _
_ _ T I L T _ _ S _ _ M _ L R M _
_ _ I D _ I _ _ R _ _ U A T O M E E _
_ N B _ G _ L _ O O _ R M E M B E R N _
U U _ _ E _ L M I J C _ _ _ _ _ _ T _
N _ _ N _ A T _ O P I E C E _ _ _ _
_ T O P F L A K E T _ _ _ _ B O T T O M
_ _ _ R D A B _ _ _ S H R E D C O G
```

Page 59

```
P E D E S T R I A N P _ _ _ _ G _
_ _ _ _ _ _ _ P A R A D E K O _ _
_ _ _ _ _ _ _ V _ C J _ D T
R _ _ _ S T A I R S _ E A _ _ A R
_ A _ E _ T S K I P _ R M _ _ _ N A
C _ C K _ O S T R I D E T _ E _ _ C M
_ A A E O _ T _ _ _ _ _ N _ E P
_ R T F _ _ R _ _ _ _ S _ T _ _
B _ _ W P A C E E _ _ _ T _ _ R _ _
_ L _ C P A _ _ _ A P _ M A R C H U _
A _ U A _ L _ _ O D _ _ U _ N _ _
D _ R T _ K _ H _ _ _ T _ G _ _
D _ B H _ C O B B L E S T O N E _ _
E _ R _ _ _ G _ B _ _ R _ _ _ _ K
R _ S _ _ A M _ _ _ O _ _ _ C
B O O T _ _ I P E D A L _ A _ _ I _
_ _ H _ E L T _ _ _ _ D _ K _ _
_ _ I _ C P _ _ _ S T A M P _
_ _ K _ _ S T O O L _ _ _ S T R O L L
_ _ E _ _ D I S T A N C E _ _ _ _
```

Page 61

```
_ _ B R E A T H I N G _ _ _ _ _
_ _ _ G _ C R E A K M U F F L E _ _ _
_ _ _ I _ _ _ P L I N K _ _ _ _ E R
_ _ _ G C R O O N H U M M I N G _ L R
_ _ _ G _ T _ _ _ D R I P K _ B I _
_ P _ L P E R C O L A T E S _ M H _
G _ L E _ I _ _ _ _ _ I U W _
P U S U _ _ C _ S _ H _ M _ _
I _ R W N F K _ P _ W _ W H I S P E R E
T _ _ G I K L _ A S Q U E A K _ _ _ L M
T _ R _ L S E U T M U R M U R _ E Z _ E
E _ _ U _ E H _ T _ _ _ L Z T E W _
R _ P _ _ S _ _ E T _ _ _ Z I N L _ I N
P _ H _ _ T N S R _ E _ _ Z R A K _ _ N
A _ I _ _ A L H P _ _ R I D P N H _ P G
T _ S _ O _ S E _ R _ S _ I G _ R P _
T _ S M _ U F I Z Z A _ _ T I _ U R _
E _ _ _ H _ _ _ _ _ _ Y _ S _ L I _
R _ _ _ L A P P I N G _ _ _ S H _ _
_ G U L P P U R R I N G _ C _ _ _ _
```

Page 63

```
_ _ _ C L E A N _ R _ _ _ O _ Y _
_ _ _ _ _ _ _ O _ _ I _ _ O _ V T _
_ _ _ _ _ _ O _ _ N P _ A _ I _
_ _ B _ C _ I _ _ M S _ W _ L D _
_ S R S L _ L _ A _ _ E _ R _ Y T
H _ H U T I _ S H _ _ _ U _ U S N
A _ _ _ I S Y P S P _ Y C _ C T _ E
I _ _ _ N H L P _ R R _ _ R O _ A
R M V _ _ _ Y _ E E D A _ I O _ T
D A O C O L O U R _ R _ Y A R _ _
R S L B W A S H _ _ _ S H _ _ _ C O M B
E S U L _ G R E A S Y _ _ T R I M _
S A M O F L O W I N G _ _ _ _ _
S G I N _ S C I S S O R S D _ _
E E S D _ _ _ S A L O N Y S _ _
R _ E E _ _ B R U N E T T E H _ _
_ _ R _ _ _ _ S H A D E _ _ _ O _
B _ S C A L P _ D A N D R U F F _ _ R _
_ O _ _ _ _ _ _ L O C K S S E T _ T
_ _ B _ C O N D I T I O N E R _ _ _ _
```

Page 65

```
_ _ _ _ _ _ _ T H E M _ _ _ _ _
_ B _ S _ _ _ _ S N O L A N S _ S _
B _ E _ E _ _ _ U _ R _ S E W _ P
R _ E _ A _ _ _ P _ A E D _ I _ I
_ O _ G _ R _ O _ _ M _ M A _ _ N _
_ B _ S _ E C _ _ A E L _ _ G _ N
_ B A _ D _ E _ H L _ R S F A C E S _ E
_ D A C _ R _ S A E P _ _ _ _ W H O R
_ U _ N H _ H H _ U R _ _ _ _ _ D S
_ B _ _ D E S O S P _ S S M O K I E Y D
E L _ _ A L _ O _ O B A N S H E E S R
R I _ _ _ I O _ K _ L _ S _ _ _ S E
A N _ _ _ D R _ _ I E _ _ _ _ E A
S E E K E R S _ _ S _ L C _ _ _ Y M
U R S H A D O W S _ T _ E _ _ _ E
R S T A T U S Q U O A _ B O N E Y M _ R
E _ _ _ Q U E E N E _ A N I M A L S _ S
_ _ _ _ _ _ _ B _ _ _ C O M E T S _ _
_ S A N T A N A _ W H A M _ _ _ A B B A
T O T O _ _ _ M E A T L O A F _
```

Page 67

```
_ _ _ _ _ R _ _ _ _ _ _ _ D _ _ _ _ R _
_ _ _ R _ E _ _ R _ _ N _ _ _ _ E E _ _
R _ _ R E R R J _ _ E I _ _ _ R _ _ C _
E _ _ E S _ E E R _ _ C C _ _ I _ _ R _
G _ _ W E R M C _ E S _ _ U U R _ _ U _
R _ _ A N E I T O E P _ R Q R E _ _ I _
E R _ R T F T _ R R _ U E E _ F _ _ T _
T E _ D R E P O R T D R L _ P L _ _ _ _
_ L _ _ R _ R E D R E S S _ E _ _ _ _ _
_ Y R R E M A I N _ _ _ E C N _ R _ _ _
_ _ _ E _ R _ R E G A L E _ T _ T E _ _
_ _ _ R L R R E J O I C E _ _ _ _ B _ _
R _ R _ E E E T M _ R E C E I V E _ U _ _
E _ E _ _ B N T _ A _ R E L E A S E F R _
G _ H _ _ A E T O _ N _ _ R E P E L F E _
R _ E _ C _ _ L _ R _ D _ R E C E S S F _
E _ A E _ _ _ _ _ _ T R E V O L T _ _ R A
S _ R E T R A C T _ R E T A R D _ _ _ A I
S _ S _ _ _ R E V U E _ _ _ _ _ _ _ _ I _
_ _ E _ _ _ _ _ _ _ R E F U T E _ _ N
```

Page 69

```
_ _ P A S S E D D R I V I N G T E S T G _
_ _ _ _ _ _ _ _ K _ E _ _ _ R _ _ _ E _
_ _ W _ _ _ _ C _ N _ Y _ E _ _ _ _ T _
_ _ E _ _ _ _ U _ I _ H _ H N G _ R _ W
_ _ D _ _ _ L _ T N T _ E O A _ A _ _ E
_ _ D _ _ D _ N O A _ R I _ Y _ E _ _ B L
_ _ I _ O _ E O P _ E T O _ Y _ _ T I L
_ _ N O _ L S M Y W A V _ W _ _ H R S _
_ _ G _ A U Y B U U N _ C _ _ _ A T O _
_ _ _ V O S A O D O _ N _ _ _ N H O _
_ _ _ Y N B Y A B _ _ _ _ _ _ K D N _
_ _ _ E I W H R _ _ _ _ _ _ _ Y A _ _
_ _ E _ E S G I N V I T A T I O N _ O Y _
S _ N I _ E N G A G E M E N T _ _ U _ D
_ _ W _ C O N G R A T U L A T I O N S I _
_ _ E A S T E R _ _ _ _ _ _ _ _ _ _ V _
C H R I S T M A S _ _ _ _ _ _ _ _ _ O R _
_ _ _ _ _ _ _ _ N E W H O M E _ _ _ R C
_ _ _ C O N F I R M A T I O N _ _ C _
_ _ _ A N N I V E R S A R Y _ E
```

Page 71

```
_ _ _ _ _ _ S _ _ _ _ _ _ D S _
M _ _ P L I E R S C X _ P _ _ R _ C _
H A _ J I G S A W S I R M _ _ _ I _ R
A _ L _ R I V E T F O A E M E N D L _ E
C _ _ L _ _ _ _ _ R C _ W _ _ _ L _ W
K _ _ _ E B _ G C _ K _ S R _ N S D
S S _ _ P T R U _ R _ N _ E E _ E U A R
A A _ F _ L L A E _ E _ _ N T N _ T N I
W N H _ I P A T C T _ _ N H O _ _ D V _
_ D A P _ L U N S E _ A S T _ _ _ P E _
_ E M _ U O E A E _ P U S _ E _ T _ A R
_ R M _ R N F _ _ S R L _ P _ N S _ P _
W R E N C H C _ _ B I _ A _ I L _ E E _
_ _ _ R _ H E O P T _ O I _ U _ R _
_ _ _ _ E _ R _ _ I J A _ L B _ _
_ _ _ H _ I _ _ _ N _ G _ O _ _
_ _ S _ W _ _ _ _ _ K _ R U L E _ _
_ A _ _ _ _ _ _ _ O _ _ _ T _ _
W _ _ _ C H I S E L O _ _ R A T C H E T
_ G R I N D E R _ H _ _
```

Page 73

```
_ N _ _ _ _ _ _ T A L I S M A N _ _ _ _
_ O _ _ O C _ _ _ _ _ _ _ _ _ _ _ _ _ _
_ I _ _ B L _ _ _ _ _ _ _ T A B O O _ _
C S _ _ E A _ _ _ _ M Y S T E R Y _ _ _
H E H _ A I _ P S Y C H O K I N E S I S
A _ _ E H R _ _ _ _ _ _ _ _ _ _ _ _ _ _
R _ _ _ X V _ _ _ _ _ P H A N T O M _ H
M _ _ P T O I N C A N T A T I O N _ _ O
P _ _ A R Y _ A P P A R I T I O N _ _ _
O C _ R A A _ _ _ D _ _ _ _ V O O D O O
L O _ A N N G _ _ _ E _ _ _ _ _ _ _ _ S
T N C N C C H _ _ _ _ M C _ _ C _ _ _ C
E T U O E E O _ _ _ _ I O C _ _ H T _ O
R A L R _ _ S _ E _ H Y I N _ _ N A _ P
G C T M _ _ T G _ C R G _ _ _ T U _ _ N E
E T _ A _ _ N H Y E A _ _ I A _ _ _ _ T
I _ _ L _ A C S C M _ _ R H A M U L E T
S _ _ _ R T P R _ _ _ I S E A N C E _ _
T _ _ T I _ O _ _ _ P _ _ _ S P E L L _
_ _ S W E S P _ _ S _ C E R E M O N Y _
```

Page 75

```
A N I M A T I O N _ _ _ _ _ _ _
C _ J E A L O U S Y _ _ _ _ _ _ _
C A _ _ _ I N T U I T I O N _ _ _
R P A T I E N C E _ _ _ _ _ _ E _
E _ _ W O R R Y A M B I T I O N D _
W I S D O M _ T O U C H _ _ S I _ _
_ _ _ _ _ _ _ G R A C E R H _ _ _
_ _ _ T A S T E _ _ _ _ P _ L A _ P
_ _ _ _ _ _ A N G E R _ . A _ M _ I
_ _ C O U R A G E R E A S O N U _ E T
_ _ _ E N E R G Y Y _ _ _ G _ P _ Y
_ _ T P _ _ _ _ O _ _ T _ _ H L D _
_ _ H R _ _ _ J _ _ C _ _ L T _ E E E
_ C O A _ _ _ _ E E H A T E O E _ A V N
S O U I _ _ _ V L W I L L _ V R _ S O V
P M G S _ _ R L _ _ _ _ E _ _ U T Y
E F H E _ _ E E W I T E N S I O N _ R I _
E O T _ N T _ _ E M O T I O N _ E O _
C R _ _ N _ _ F E A R T R U S T _ _ N _
H T _ I _ _ F E E L
```

Page 77

```
_ U N D E C I D E D _ _ D I S P U T E _
_ _ _ _ _ _ _ S _ O Q U E S T I O N _ _
_ D E M U R U D _ U _ S C A R Y W _ _ _
_ P _ _ I _ A B _ T H D _ _ C N _ S _
_ _ U R _ _ F I _ S A D _ _ I _ D _ H _
T _ U Z _ _ F O _ _ N L _ N _ A E _ I M
R C _ _ Z _ L U _ _ C Y Y _ H M R _ L I
I S _ _ _ L E S _ _ E C _ _ E A _ _ L S
A I P _ _ E L E E R Y _ L S Z W O Y T
L F _ O _ _ _ Y _ _ _ L O I E A B S R
_ T _ _ N _ _ R _ E _ A _ S T D V S H U
_ _ _ _ D A _ T _ C _ _ T A _ E C A S
R _ I _ _ D E A _ I S _ U _ N Q R U L T
I _ _ M N _ L R T _ U _ N Q T C U R L
T _ _ A A L _ P _ _ S _ S _ U L _ E Y
_ Q _ C _ C I _ _ _ E R _ _ S L _ _ Y
_ _ _ _ A _ S _ N _ _ C _ E _ H _ M _
_ V _ _ _ U N C E R T A I N _ _ _ _ _
```

Page 79

```
_ S _ _ _ _ S C _ _ O F F I C E _ _ _ _
_ C _ _ _ K _ O T H E M E _ _ _ M A T H
_ H _ _ S _ _ L _ S P E L L _ _ _ _ _ _
_ E _ _ A _ _ _ C _ _ _ _ _ _ _ _ _ _
_ _ D T _ _ _ E _ O _ S _ _ _ _ C H U M _
_ U S _ _ _ G _ R _ _ E _ _ _ _ _ C _ _
D L A _ _ _ E _ E _ _ A _ _ _ _ L _ _ _
R E T _ _ _ _ _ C C A F E T E R I A C
I _ C L O C K E R _ H _ _ _ _ Y S I _
L _ H S P O R T S S C I E N C E D _ S V
L _ E _ A L G E B R A _ L _ A _ _ I _
_ _ L _ _ _ _ _ _ _ D E _ _ T _ C
_ _ _ _ S T U D Y _ _ G R A D E E _ S
_ _ _ _ _ P R I N C I P A L _ _ X C H
E N G L I S H F R I E N D S _ _ _ T U I
_ _ S T U D E N T _ T E A C H E R S R S
_ _ _ R E P O R T L E S S O N _ _ F T
_ _ W O R K B O O K H A L L S _ E O _
_ _ _ _ _ _ T E S T _ _ _ _ _ W R
_ _ _ _ _ B A N D _ _ C H O R U S _ _ Y
```

Page 81

```
_ _ _ S R _ _ _ _ _ N _ _ _ B A U L K _
_ _ S _ E _ _ _ _ W _ T _ B A I Z E _ _
_ I _ _ F P _ _ O _ O L _ _ _ _ U _ _ K
M P _ _ E L _ R _ P U _ _ D C _ B _ I _
_ O _ _ R A B _ O E _ _ E _ _ _ L _ S
_ C _ _ E Y _ _ F D _ R P _ _ _ A _ _
T K _ _ E E _ _ I _ _ _ S N I _ _ C _ _
R E S C O R E S Y _ R O _ N _ K _ _ _
I T _ _ _ S _ T _ T U I C H A L K _ _
A _ G _ _ _ E _ N O S _ _ M A X I M U M
N _ R _ _ F _ A L N _ _ T A B L E _ _ _
G _ E _ A _ L O E _ _ _ _ C U S H I O N
L _ E S R P C T Y B R E A K B A L L S L S
E _ N _ _ E X _ E _ _ _ _ S _ _ L S
_ _ _ _ _ E S _ L _ _ _ _ _ H _ _ A T
B L U E _ _ _ _ T L _ _ _ _ O _ B N _
_ _ W H I T E O _ S _ _ _ _ T E I _
_ F R A M E _ W _ P _ _ _ E O _
_ S W E R V E _ _ O _ _ R P _
_ S N O O K E R _ _ _ T _ F _
```

Page 83

```
T S U R C _ _ _ D O U G H _ _ E _
_ _ B _ Y D A E R _ _ _ _ A _ _ _
_ _ A _ _ _ _ F W _ X S _ _ _ _ _
_ E _ G _ _ _ R _ R A Y I _ C _ T
_ E R _ _ E _ _ P C E _ E R _ M O _ R
_ T U _ S L L O R R O C _ N M _ U _ A M
_ I T _ _ N S _ _ O M I _ C _ N _ T E
_ H X M I N _ E _ _ C B P _ H T T S A
_ W E _ E N E A H _ _ E I E _ E E _ S
_ T _ _ D G V M C _ _ _ S N T R M _ U
_ L O A F I R O O T _ _ S E T P _ R
M O N I T O R U E _ U I _ _ E O E R E
_ _ _ _ D M D _ N K _ W P R A
_ H _ _ A _ _ _ I T _ S _ A I _ _ _
_ S D _ _ M T I M E R E B M _ _ T S L
_ E _ A E _ _ _ _ L N E _ _ U E I
_ R _ M R _ _ _ E _ _ T _ _ R _ G
F O _ K _ _ N _ _ H S _ _ E _ _
_ H B A T C H _ D _ _ O _ E K A B T
_ _ _ _ S U P P L Y _ D D A E N K _
```

Page 85

```
P P _ _ _ _ A _ _ _ E T U R K E Y S _
A E _ _ P _ _ _ S _ H _ R T _
S A _ P P _ _ E _ O _ _ O R _ _
T S _ L I _ _ E _ R G _ _ A A _
U _ E _ _ G _ G _ S T O _ D C _ _
R S _ _ _ _ _ _ S E A A _ S T P _ _
E _ _ _ _ C S _ E T _ O _ _ S
_ _ M _ _ A _ P H S _ T R _ R C
_ _ B _ _ L _ S E W _ _ A S S E _ O
_ _ A _ C V D _ E _ T E _ T _ _ R
_ V S R _ E E _ H _ O C _ S _ _ D N
_ E W _ N H S _ S E N K E _ _ N _
_ G O _ S _ S H _ S E N V _ _ O _ _
_ E R _ _ N A _ G F A R _ _ P _ _
_ T C _ E Y _ _ R T A T R U C K _ _
_ A _ P _ _ _ A H _ N E D R A G _ _
_ B _ S N E K C I H C _ _ F I E L D S
_ L _ _ _ _ N _ _ _ _ _ _ _
_ E _ _ _ _ _ _ _ _ M O W E R S _ _ _
_ S N E H _ _ _ _ _ _ C O W S _ _ _
```

Page 87

```
_ _ _ _ D _ A D M I T T E D _ D A _
A L _ _ E _ D _ _ _ _ _ _ E S _
L _ D _ X _ E D E E S I N A _ A L C _
I _ _ N A _ A L _ _ _ _ A T L E _
E A _ _ U _ _ G A P H I D A _ R T U N D
N N _ _ _ O _ N R _ _ C _ D M E N D N
A G _ _ _ T A _ E _ T _ I B N N E O
T U _ _ _ _ S _ E _ _ A A D A D C
E I A V I D _ _ A D _ D _ _ R N A _ _ S
D S _ _ _ _ _ A _ _ _ F D V _ D B
A H _ _ _ A S K E D D E D D A _ O A E A
B E _ _ D D _ _ _ A D _ _ E D _ I R G _
R D _ I _ E _ A W _ I _ R O _ D R N _
O _ C _ A R _ A C _ _ O O _ D I E A
A A _ _ P O R A _ H T _ _ H H _ E V V M
D A _ _ E D _ _ G _ E _ A C T _ T E A A
_ R _ _ D A _ _ _ E D D M N L _ A D _ Z
_ I _ _ D A E H A _ D E A U _ B _ _ E
_ D _ _ _ _ _ _ _ _ N _ D _ A _ D _
_ D E D U A L P P A _ _ D _ A _ _ _
```

Page 89

```
_ _ _ _ A S S U R A N C E _ _ _ _ _ _
_ _ _ _ _ _ _ _ _ _ _ _ C R _ _
_ O _ _ F R I E N D S H I P U H _ _
_ P L A U G H T E R _ _ _ O _ A _ _
_ T _ S F C O N C E R N _ B C _ _ R _
_ I G I E _ S M I L E S H H O _ C H _ M
_ M E N L _ G _ _ _ G C E M H O O _ _ _
C I N C L _ A _ _ _ I S O A P A N S J _
A S E E O _ I _ _ E S _ R R A R S P O _
M M R R W _ E _ N E M _ D T N M I I V _
A _ O I S _ T _ N S _ V I I I O D T I U
R _ S T H _ Y D A _ _ I A N O N E A A N
D _ I Y I _ N I _ _ T L E N Y R L L I _
D _ T _ P I S _ _ A I S S _ A I I T _
E _ Y _ K U _ _ L T S H _ T T T Y
R _ _ H _ _ _ _ _ I Y _ I _ I Y Y _
I _ _ T _ W A R M T H T _ _ P _ O _ _
E A N I M A T I O N _ Y _ _ _ _ N _ _ _
_ E G E N I A L I T Y _ _ _ _ _ _ _ _
_ _ V I V A C I T Y _ _ _ C O M F O R T
```

Page 91

```
C H U B _ _ _ _ _ _ _ _ C R U S T A C E A N
_ _ _ _ C R I C K E T _ _ C _ _ _ C C C _
_ C A T E R P I L L A R R _ C _ H O U _
_ C A N A R Y _ _ _ _ A _ A _ I D B _
C R O W _ _ C L A M _ _ B C T _ P F _
_ _ W _ _ _ C H E E T A H R _ M I _
_ O _ _ _ _ C H I M P A N Z E E A U S _
C _ . _ C _ _ _ _ _ _ _ _ _ N H _
C _ _ _ O C A S S O W A R Y _ _ K E C _
_ A _ _ T _ C A L F _ C O N C H _ A _
C C R _ _ _ T _ C A T F I S H _ _ _ M _
I _ H I C C _ O _ C R O C O D I L E E _
C _ _ I B H A C N _ _ C A T T L E _ L C
K _ _ _ C N O A R O T _ _ C _ _ _ _ O
E _ _ _ O C U M D L A _ _ Y O _ P _ C
E _ _ _ _ U H _ E I L I _ G _ Y R _ K
N C A P O N G I _ L N I L N _ A O _ _ A
_ _ _ _ _ _ _ A L _ E A E E C _ _ T _
_ C U C K O O _ R L _ O L T _ _ _ E O
_ _ C O B R A _ _ _ A _ N _ _ _ _ _ O
```

Page 93

```
R A N D O M _ M I S A D V E N T U R E _
C R A S H _ _ _ _ _ _ _ _ _ _ _ _ _ _
_ _ _ _ _ _ C H _ _ _ _ _ _ _ _ _ _ _
_ _ _ _ O A _ _ D I S A S T E R _ F
O M I T I _ N P _ _ _ _ _ E _ _ B O
L _ _ N _ T H _ _ _ _ _ R _ _ R T
_ U _ A _ I A _ _ _ N _ E P _ _ E U
S _ C _ D _ N Z _ _ E E _ N R _ _ A K
M _ _ K V _ G A _ P K M T D A _ _ K I
A M _ E U E R _ P U _ I U I N _ _ T O
S I _ _ R N N D A L _ P S R P G _ C _ U
H S _ S T E C H F _ _ I F N I _ _ A C U
C C _ P E X Y _ _ _ L O U T _ _ _ L O S
H H _ I N P _ _ _ E R P Y _ _ A L _ _
A A _ L T E _ _ _ U T _ M _ _ M L _ _
N N _ L _ C _ _ S _ _ P U _ I _ _ I I
C C _ _ W T _ _ H _ _ N _ S _ _ T Y _
E E _ O _ E _ _ _ _ U E _ H _ _ Y I O
_ _ L _ _ D F A T E _ N _ _ A _ _ O N _
_ B C A S U A L T Y _ _ T _ P _ _ _ N _
```

Page 95

```
_ _ _ _ _ _ _ _ _ _ _ N _ E Y E _ _ _ _
_ _ _ _ _ _ _ _ R _ N T H I M B L E
_ _ _ _ _ S _ F _ _ E _ I _ _ _ _ _ _
_ _ _ P _ _ _ A T _ H _ _ _ _ _ _ _ F
_ _ O _ _ _ T C C _ _ _ _ _ _ _ _ _ A
_ O _ _ _ A _ A I _ _ _ S _ _ _ _ _ S
L _ _ _ _ P _ M _ _ N _ _ R _ _ _ _ T
_ _ _ _ G _ _ _ G O _ E S _ _ _ _ _ E
_ _ _ _ N _ _ _ S _ _ L N T T M N
_ _ L I _ _ _ _ S S _ T A A A A A E
_ _ W A _ _ _ _ I _ E _ H S P C P T R
_ E _ _ C _ _ C _ A _ R T _ K E E _
_ S _ _ N E S _ _ M _ E I _ _ M R _
_ B _ O _ _ _ _ _ R _ A C _ _ E I _
P _ O T _ _ H _ _ I _ D _ P A A _
_ _ T B _ _ _ O _ _ _ P _ _ P S L
N U _ B _ _ _ O _ _ P _ I _ U _ _
B _ _ _ I _ _ K _ H _ E Z _ _ R E
_ _ _ _ _ N S _ E _ R _ _ _ R E
_ _ _ _ S _ M _ _ N E E D L E _ _
```

Page 97

```
_ _ P O R T I O N _ _ _ _ _ _ _ _ _ _
_ _ _ _ _ _ _ _ _ _ S P L I N T E R _
_ _ _ _ _ _ N P H _ _ _ _ _ _ _ _ _ _
_ _ _ _ _ _ S _ _ _ _ _ _ _ _ _ _ _ _
_ _ _ _ O _ A R _ _ _ _ Q U A R T E R
_ _ I _ C R E _ _ _ _ _ _ _ _ _ _ _
_ _ T _ _ H T D F R A G M E N T _ _ _
_ C _ _ U _ C H I P _ _ _ _ T _ _ _
E S P _ _ U _ N S S _ _ _ _ H _ _ _
S _ L _ I _ K _ _ U E _ _ _ I _ _ _
_ I _ _ E _ _ _ _ B G _ _ _ R _ _ _
_ C _ P _ C _ _ B D M _ _ D _ C _ _
_ E A _ _ _ E _ M _ H I E _ _ U _ _
_ R _ _ _ _ _ U _ A _ V N _ _ T _ _
_ C _ _ S H A R E B _ L _ _ I T _ _
S _ _ _ C _ _ _ I F _ S _ S _ _ _ _
_ _ _ _ _ _ S E C T O R O _ I _ _ _
_ _ _ _ _ _ _ _ _ _ _ _ _ M _ O _ _
_ _ E L E M E N T _ _ _ _ _ _ E _ N _
_ _ F R A C T I O N _ _ _ _ _ _ _ _ _
```

Page 103

```
_ _ _ _ _ _ _ _ _ _ E _ S _ D R A G _
_ _ _ _ _ _ _ _ _ C _ _ T _ _ _ _ _ _
S E A S E _ _ _ _ N S _ _ O _ S _ _ _
H _ _ _ _ _ A _ N _ _ M _ T _ _ _ _ H
O _ _ _ Y _ R _ H E _ _ _ P B A R G E A
V _ _ R _ P _ S _ A S T U M B L E _ S
E _ R _ _ _ A _ K _ _ R _ K _ _ _ _ T
_ U _ _ _ R T _ _ _ _ _ U _ _ _ _ _ E
H _ _ C _ A T M A R C H _ _ S _ H _ N
_ _ _ _ _ R _ I P L U N G E _ H O _ _
_ _ _ _ _ E R _ _ P _ _ _ _ _ _ P _ _
_ _ G U _ Y _ _ F T _ _ _ _ _ _ _ _ _
_ _ R S A _ _ E _ L _ O _ C H A R G E N
_ _ R A _ L L _ _ O _ _ E E _ _ P _ U _
L U _ _ M T L _ A _ _ L _ M _ R _ _ _
P I _ _ S B _ O _ T _ B _ _ A _ _ _ _
_ _ M U _ _ L _ P _ M L U R C H _ _ _
_ _ H P U S H E _ U _ T J O G _ _ _ _
_ R E T R E A T B _ _ _ _ F U M B L E
_ _ _ _ W A N D E R _ S T R A Y _ _ _
```

Page 105

```
_ K E A N N A _ _ P _ R _ A M A N I _ P
_ O A Q U A R T E R _ E _ Z L O T Y D E
_ R G _ _ P Y A _ U W A _ _ _ _ M _ O N
A U L _ _ _ S _ _ T A L G N _ L _ I L N
U N E _ _ _ H _ C A M _ U _ I _ U _ L Y
R A _ _ C _ E _ H H P _ I _ _ C _ A L
E _ _ P O F K _ O _ U _ N _ _ K _ R _
U _ _ O N L E _ N _ M E E _ _ _ D E _ E
S _ C U T O L P _ _ L L A _ _ R _ L _
D L O N O R S _ E B _ _ I _ _ _ A _ _
E E R D _ I _ T U S _ _ S R _ _ C _ _
N M D _ _ N C R A _ E G _ U A _ H _ _ _
A P O G _ _ R _ L _ T R C C _ M _ _ A _
R I B _ R _ _ O _ E _ A E _ R A _ _ R
I R A _ O E _ _ W _ N _ N E _ E _ P G
U A _ _ _ S S K C N _ T T _ N _ _ E E
S T I C A L _ _ C U O _ _ A _ _ B O L N
_ O B O L I _ _ _ U R L _ V _ _ S A F T
_ _ _ _ _ G O L D _ D U O O _ E _ C _
L E P T A _ _ _ _ _ _ O S N P _ _ _ K
```

(lower left grid)

```
P _ _ _ _ _ _ L A N G U A G E S _ _ _ _
_ I _ _ _ _ T N A N O S N O C _ _ _ _ A
_ _ T _ S P I L _ _ _ _ _ _ G _ R T
_ _ _ C W I N D P I P E _ _ _ N G _ O
_ _ _ H _ _ _ E N U M M O C U I _ N
_ S _ _ S G N U L _ _ _ E _ K S G
_ _ S _ _ S _ H C E E P S A _ T U
_ O _ _ A _ _ _ O _ L L E T _ E _ O _ E
L R _ _ E B E L _ U _ _ D _ P _ N _ _ E
I A _ _ _ T E H A _ N _ A S _ A _ E _ X
T E _ _ T A _ T R R D E _ L _ _ N V P
E _ _ _ R W S E _ E A E N T _ _ S _ T I E
D _ B H T G _ _ _ R C R X T A _ _ O C S
_ I I R N S H O U T C O B L U _ _ N E S
V N A A _ H _ _ _ O _ V _ _ T _ O P _
E I H _ _ _ I _ _ _ O R V O W E L S M R _
N C _ _ _ _ G T _ D _ _ S D R O W I _
_ _ _ _ _ L H _ S _ O P E N I N G
_ _ _ _ A S I T I G N Y R A L _ T _
```

(lower right grid)

```
_ _ _ _ _ S E K _ _ _ _ _ _ R _ _ _ _ _
Y _ _ _ K L _ C _ _ _ _ _ _ U _ _ _ _ _
A _ _ A D A M D _ A _ _ _ _ E _ _ _ B
L _ T R _ _ C O I _ R _ _ R T L _ C _ O
E E U _ _ _ _ R L S _ T _ E A L _ H _ X
R H Y _ _ _ _ O A C _ _ Y M A P A _ R
_ _ _ E R U N _ _ B L U _ A A B R L _ R
_ _ K _ _ _ _ _ A S S L _ T O L _ _
_ _ C _ S _ _ _ _ T _ P _ E F E _ _
_ _ O _ _ H _ F O O T B A L L K E N _
_ _ _ H _ _ O L L A B E S A B S S G _ S
R E C N E F _ T E L T S E R W A S E _ I N
O _ Y R T _ N _ _ G _ _ R B I _ _ N
L _ E E S _ _ O _ O L E _ O _ _ N
O _ K I A _ _ I L _ W C _ N _ _ E T
P _ C K N _ S _ _ P F _ O C _ A _ T
_ _ O S M _ _ W _ _ M _ B O _ L _ _
_ _ J _ Y _ _ I _ _ A _ S _ _ _ _
_ _ _ G _ _ _ _ M _ _ _ H S P O R T S
_ _ _ J A V E L I N J U M P C _ _ _ _ _
```